Richard Lux

Das höllische Automobil

Richard Lux

Das höllische Automobil

1. Auflage | ISBN: 978-3-75239-272-2

Erscheinungsort: Frankfurt am Main, Deutschland

Erscheinungsjahr: 2020

Outlook Verlag GmbH, Deutschland.

Das höllische Automobil

von Richard Lux

.

Vita autoris.

O t t o J u l i u s B i e r b a u m

erblickte das Licht dieser Welt am 28. Juni 1865 zu Grünberg in Niederschlesien als der Sohn eines eingebornen Konditors und einer sächsischen Bergmannstochter. In der väterlichen Familie waren zwei Berufszweige erblich: Ein süßer: die Zuckerbäckerei, und ein saurer: die protestantische Theologie. Otto Julius hatte aber wohl einen besonders starken Gemütseinschlag von der mütterlichen Familie her (in der einmal, zur Zeit Napoleons, ein französischer Tambour eine Gastrolle gegeben haben soll) und so fand in ihm weder die süße noch die saure Familientradition ihre Fortsetzung. Doch blieb ihm Zeit seines Lebens von Abstammung wegen ein ausgesprochener Sinn für bessere Kuchen und Edelmetalle im Blute, ohne daß er ihn indessen immer befriedigen konnte. Dieses Unvermögen kommt aber eben daher, weil er, statt das Süße oder das Saure oder sonst was Ordentliches zu lernen, sich von Jugend auf dem Laster des Versemachens und Fabulierens hingegeben hat. Was hat er davon? —: Ein immer zweifelhaftes Budget und die Ungnade des Literaturaufsehers Bartels in Sulza bei Weimar — O, daß doch dieses gewiß gräßliche, aber leider nicht unverdiente Schicksal abschreckend auf alle unerfahrenen Jünglinge und Jungfrauen wirken möchte, die in dem Wahne leben, das Dichten sei eine einträgliche Beschäftigung und mache wohlgelitten bei ernsten Kunstwärtern und gelehrten Literaturbeaufsichtigern! In Wahrheit führt es, wenn man sich ihm nicht auf der Basis einer s e h r anständigen Rente hingibt, direkt ins Versatzamt und erregt, wenn es nicht so vorsichtig ausgeübt wird, daß alles Vergnügen daran zum Teufel geht, nur Unwillen.

Dieser Unwillen steigert sich zur Empörung, wenn der Unbesonnene, der ihn hervorgerufen hat, statt sich durch weise Beschränkung auf ein bestimmtes Fach der Dichtkunst wenigstens zum Spezialisten auszubilden, auch noch einen Mangel an C h a r a k t e r offenbart, indem er halt- und ziellos in allen Fächern der Poeterei herumfährt und, wie *iste* O. J. B., außer Gedichten jeder Art und Unart auch noch Novellen, Romane, Operntexte, Dramen, Balletts, Reisebeschreibungen, Märchen und allerhand Aufsätze über allerhand Menschen, Dinge und Ideen von sich gibt. Dies ist ein so grober Verstoß gegen das moderne Gesetz von der Teilung der Arbeit, daß man nicht energisch genug dagegen Front machen kann. Warum, so fragen wir mit Nachdruck, hat sich O. J. B. nicht damit begnügt, den 'Lustigen Ehemann' zu verfassen? Wie klar umrissen stünde dann sein Bild im Herzen der dankbaren Mitwelt, während es jetzt unruhig und fatal hin- und herzittert in den verschiedensten Kapiteln der Literaturkunde, vergleichbar den lebenden Photographien der American-Biograph-Gesellschaft, G. m. b. H., Berlin.

Daß er auch noch Zeitschriften gründete, mag ihm verziehen werden, weil sie (Pan und Insel) eingegangen sind, und weil es sich schließlich, Gott sei Lob und Dank, doch herausgestellt hat, daß die aufregenden Nachrichten über seine schmachvoll hohen Redaktionsgehälter nur die Phantasiegebilde einiger erfindungsreichen Köpfe waren. Auch seine längere Reise im Automobil hat ihren Stachel verloren, seitdem man weiß, daß sie nicht auf eigene Kosten unternommen worden ist.

Über seine Mitschuld am Überbrettl gehen die Meinungen auseinander. Einige Passagen im "Stilpe" belasten ihn zwar schwer, aber das Programm seines Trianon-Theaters (einmal und nicht wieder!) wird immer als besinnungslos rein lyrisches Entlastungsdokument angeführt werden können.

Sonst ist O. J. B. harmlos. Sein Körpergewicht (81·5 Kilo, die Kleider nicht mitgewogen), sowie seine untersetzte, deutlichen Fettansatzes nicht ermangelnde Statur, reihen ihn unter die Korpulenzen ein, die eher zum Phlegma, als zu kriegerischem Angriffe neigen. Doch scheint er es sich nicht abgewöhnen zu können, über gewisse Charaktereigentümlichkeiten erbost zu werden, als da sind: Neid, Lügenhaftigkeit, Tratsch- und Verleumdungssucht und aufgeblasener Dummstolz. (Woraus deutlich hervorgeht, daß man ihn mit Unrecht unter die Humoristen rechnet.) Durch Radfahren und elektrische Massage versucht er es übrigens, seine Taillenweite dem erwünschten

Normalmaße anzunähern, wie er denn auch den Fettbildner Alkohol mit einer Konsequenz meidet, die ihm sonst nicht eigen ist. Lawn Tennis mußte er leider wegen Mangels an englischen Sprachkenntnissen aufgeben. Die Pflege des nationalen Skat hinwiederum ist ihm wegen eines mathematischen Defekts versagt.

Hunde, Katzen, Blumen; Horaz, Shakespeare, Goethe; Gluck, das 'wohltemperierte Klavier', Mozart; Dürer, Ludwig Richter, Chodowiecki; Büttenpapier, Seide und Ceylontee liebt er sehr. Schiller genießt er einstweilen lieber in der Form Dehmel. — Für die größten unter den modernen Dichtern gelten ihm Dostojewski, Nietzsche und Gottfried Keller. — Th. Th. Heine ist ihm lieber, als Max Klinger. — Ein rechtschaffenes Biedermeier-Kanapee zieht er ebensowohl einer *sella curulis* wie jeder streng modern konstruktiven Lösung des Sitzproblems vor. Van de Velde verehrt er aus scheuer Entfernung und mit aller gebotenen Vorsicht. Der wahrhaft aus modernem Bedürfnis und aus der klaren Tiefe der Zeitseele geborene Nachttopf scheint ihm einstweilen nur in ornamentalen Ansätzen von verdienstlichem Zielbewußtsein vorhanden zu sein. An "Buchschmuck" hat er sich für eine Weile sattgesehn, sowohl an dem botanischer, zoologischer und mineralogischer, wie an dem rein geometrischer Herkunft. Seine Sünden auf diesem Gebiete bereut er herzlich und hat sich dafür als freiwillige Buße die vollkommenste Enthaltsamkeit von allen Kopf-, Rand-, Zwischenleisten, Frontispicen, *culs de campe* &c. &c. auferlegt. Doch zweifelt er keineswegs daran, daß die Blütezeit des Jugendstiles noch eine hübsche Zeit andauern wird. — Was die moderne Musik angeht, so fühlt er keinen Beruf, sich an dem Gesellschaftsspiele der Auslosung des neuen Messias zu beteiligen. Er ist dazu musikwissenschaftlich nicht gebildet genug und muß zufrieden sein, daß es ihm beschieden ist, zuweilen moderne Musik zu hören, die ihm angenehm eingeht, ohne daß er zu sagen weiß warum. Im Grunde ist er wohl auch zu frivol dazu, was schon daraus hervorgeht, daß er nicht gerne eine Offenbachsche Operette versäumt.

Moderner Bücher liest er nicht gar viele, doch läßt er sich von Liliencron, Dehmel, Wedekind und Gerhard Ouckama Knoop keines entgehen. In alten Briefwechseln, Tagebüchern und Memoiren zu lesen ist ihm ein großes

Vergnügen. Den größten Genuß auf diesem Gebiete bereiten ihm die Briefe und Tagebücher Friedrichs v. Gentz, den er überdies für einen der besten Prosaisten in deutscher Sprache hält.

Seine Kenntnis der Weltvorgänge bezieht er aus den "Münchner Neuesten Nachrichten" und dem "Simplizissimus". Zu einem Abonnement auf die "Woche" hat er sich noch nicht entschließen können, doch läßt er sich eigens zu dem Zwecke allwöchentlich einmal die Haare kräuseln, um bei seinem Friseur den Anschauungsunterricht zu genießen, den dieses vorzügliche Organ der Volksaufklärung gewährt. Übrigens photographiert er, wie jeder Kunst- und Naturfreund, selbst und hat es darin zu einer Vollkommenheit gebracht, die ihm außer seiner Frau niemand bestreitet.

Religiös ist er Eklektiker. Vom Judentum hat er die Psalmen, vom Protestantismus eine ziemliche Anzahl Gesangbuchslieder, vom Katholizismus die Instrumentalmusik und verschiedene Bestandteile der sakralen Garderobe, vom Buddhismus die schöne Pose des Sitzens auf einer Lotosblüte, vom Konfuzianismus das Prinzip der großen Wurstigkeit, vom Taoismus die höchst angenehme Mystik ahnungsvoller Wortverknüpfungen in seine Privatkirche übernommen, deren Hauptlehre übrigens lautet: 'Halte dir alles Gesindel vom Leibe, denn es hindert dich, in deinen Himmel zu kommen!'

Wollte man ihn nach seiner politischen Meinung fragen, so würde man ihn in Verlegenheit setzen. Es kommt das vielleicht daher, weil er keine Leitartikel liest und Bismarck tot ist.

Exlibris und Ansichtspostkarten sammelt er nicht; dafür alte Vorsatzpapiere, Gläser und Fayencen; Autogramme gibt er nur in schwachen Momenten ab; jungen Damen und Herren zu sagen, ob sie Talent zur lyrischen Poesie haben, erklärt er sich für inkompetent.

Vorbestraft wegen Körperverletzung in idealer Konkurrenz mit einer Übertretung ortspolizeilicher Vorschriften über das Halten von großen Hunden.

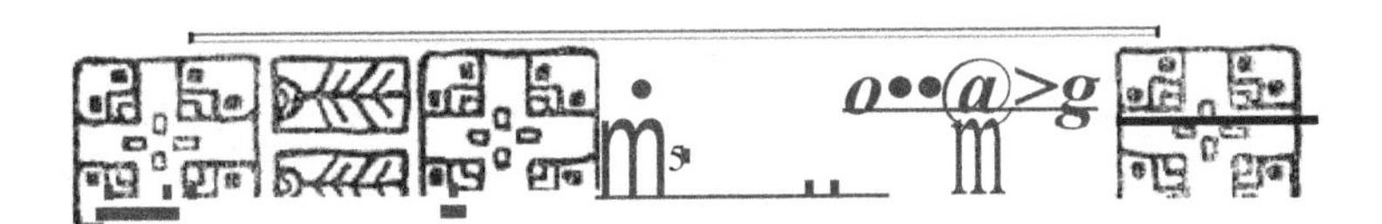

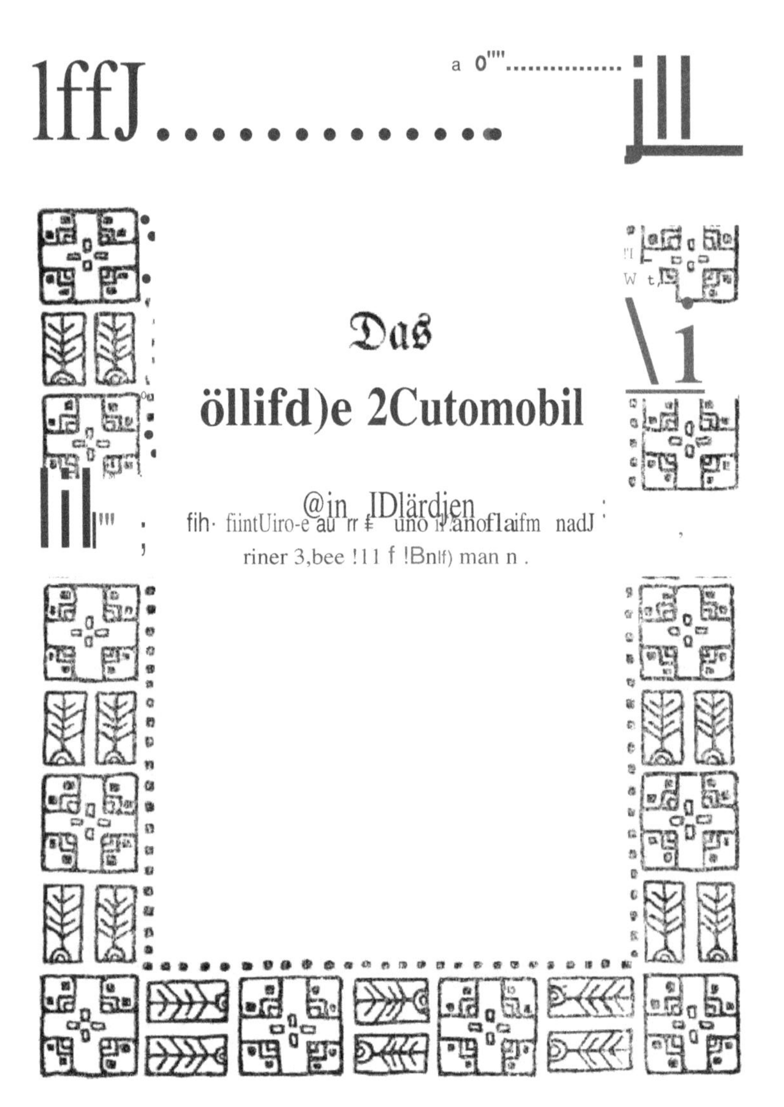

Das

öllifd)e 2Cutomobil

@in IDlärdjen

fih· fiintUiro-e au rr ‡ uno r.anoflaifm nadJ

riner 3,bee !11 f !Bnlf) man n .

Das höllische Automobil

Ein Märchen
für sämtliche Alters- und Rangklassen nach einer Idee
Alf Bachmanns.

Der Riese Rumbo konnte die Menschen nicht leiden, weil sie neben ihm so lächerlich klein erschienen, aber doch klüger waren als er, und weil es ihm, wegen seiner unmäßigen Größe und Ungeschlachtheit, nicht möglich war, mit ihnen zusammen zu wohnen, — was er doch von wegen Kartenspiel und anderer Lustbarkeiten, die man nicht allein besorgen kann, ganz gerne gemocht hätte. Wie hätte er aber mit jemandem Skat spielen oder sonst etwas Vertrauliches treiben sollen, da er so groß war, daß er selbst die größten Häuser der benachbarten Residenzstadt nicht einmal zu Leibstühlen benützen konnte, weil sie dazu zu niedrig gewesen wären?

Daraus könnt ihr euch wohl ungefähr ein Bild machen, wie über alle Maßstäbe und Begriffe ausgedehnt dieser Kerl war.

Mein Onkel, der doch auch ein Mann von gutem Gardemaße und überdies Pfarrer, also gewöhnt war, seinen Blick immer aufs Höchste zu richten hat mir mehr als einmal beteuert, daß Rumbo alle seine Begriffe von Länge und Breite übertroffen habe. Übrigens ist es dieser mein Onkel, der mir diese Geschichte erzählt hat, was zu bemerken ich nicht zu ermangeln will, weil man sonst denken könnte, sie hätte keine Moral. Die Wahrheit ist, daß sie mehr Moral hat, als selbst der aufmerksamste Zuhörer beim ersten Male merken kann. Man muß sie sich also ein paarmal erzählen lassen. Es verlohnt sich.

Ich selbst habe sie s e h r oft gehört, nämlich immer, wenn mein Onkel meinen Vater zu besuchen kam, um, wie er sagte, "nach dem Rechten zu sehen.“ Es scheint aber, daß das Rechte sich bei uns im Keller aufhielt. Denn dorthin begaben sich bei solcher Gelegenheit die beiden Brüder sogleich, wenn der ältere beim jüngeren zu Besuch angekommen war. — Dies nebenbei und ohne eigentliche Beziehung zu Rumbo.

Der war also nach der Überlieferung meines Onkels ein ü b e r gewaltiger Geselle. — Ich wünschte sehr, seine Größe in Metern angeben zu können, aber in dieser Hinsicht hat es mein Onkel an Exaktheit fehlen lassen. Statt einfach zu sagen: so und soviel Meter oder meinetwegen bayerische Ruten war er lang, liebte er es, die Ausdehnung des Riesen durch Vergleiche oder Bilder anzudeuten, wobei es mir nicht entging, daß dabei nicht immer das gleiche herauskam. Machte ich ihn darauf aufmerksam, so pflegte er zu sagen: "Mein lieber Junge, bei ganz großen Gegenständen irrt sich selbst die Bibel. Für das, was das gewohnte Maß maßlos überschreitet, haben wir Menschen nicht einmal die Fähigkeit, in Bildern ordentliche Maßstäbe zu finden. Kehre dich nicht daran, wenn ich dir e i n m a l sage: Rumbos Beine waren so dick und lang wie die Türme der Frauenkirche zu München, und ein a n d e r m a l : Rumbos Nasenlöcher waren so breit und lang wie der Tunnel durch den St. Gotthard. Das stimmt freilich nicht; aber aufs Stimmen kommts auch nicht an, wo sichs um Riesen handelt. Sei froh, zu wissen, und laß es dir genügen, daß Rumbo auf alle Fälle erstaunlich groß war; — wenn du Lust hast, seiner Größe noch ein paar Kilometer hinzuzusetzen, so tu dir keinen Zwang an. Meinetwegen kannst du ihn dir auch ein bißchen kleiner vorstellen, wenn er dir dadurch näher kommt, aber, versteht sich, immer noch so riesig, daß du dich selber darüber wundern mußt. — D a r a u f kommt es an.“

Ich empfehle euch, es auch so zu halten.

Da Rumbo nicht unter Menschen wohnen konnte, lebte er ständig auf dem Lande, und zwar in der Nähe der Stadt Knödelimkraut, die sich einer sehr waldigen Umgebung erfreut. Dort war aber auch wirklich ein Mordstrum von einem Walde, der für ihn paßte, als wenn er ihm angemessen worden wäre. Tannen wuchsen darin, so dick, daß ein Mensch, der um eine hätte herumgehen wollen, dazu eine gute Stunde gebraucht haben würde.(Wirklich wahr!) Er hätte aber gar nicht drum herumgehen können, weil die Wurzeln dieser Bäume wie Gebirge über die Erde hervorstanden, und weil das Moos, das auf ihnen wuchs, selber wieder so hoch und dicht war, wie das Gebüsch in einem gewöhnlichen Walde.

Für Rumbo aber war der Wald eben darum gerade recht; und er verließ ihn nur einmal in der Woche, nämlich am Sonnabend, wo er sich seine Mahlzeit holen mußte. Denn er aß nur einmal in der Woche, am Sonntag. Das kam daher, weil für ihn eine Woche so viel war, wie für uns ein Tag. (Inwiefern? — das wußte sogar mein Onkel nicht zu erklären, dem doch selbst in der Offenbarung Johannis keine Zeile dunkel war. — Ihr tut also gut, euch nicht den Kopf darüber zu zerbrechen, was zu unterlassen übrigens auch anderen Problemen gegenüber ratsam erscheint, da ein Kopf, auch wenn er hohl ist, nicht eigentlich die Bestimmung hat, zerbrochen zu werden. Und e u r e Köpfe, meine Lieben, sind überdies n i c h t hohl, — wie würdet ihr sonst m e i n e Zuhörer sein?)

In der Hauptsache bestand seine Mahlzeit aus Gemüse. Birkenbäume waren für ihn Spargel, Eichenbäume Spinat, aus jungen Tannen machte er sich Sauerampferbrei. Kuchen und andere süße Speisen konnte er sich nicht verschaffen, außer wenn er gerade einmal bei einem Bienenzüchter vorbeikam. Da fraß er dann gleich sämtliche Bienenstöcke mit dem Honig, aber auch mit den Bienen auf, und wenn ihn die Bienen im Munde und im Magen stachen, sagte er: "Ei, das prickelt recht angenehm.“ Sonst bestand seine Nachspeise immer aus einem Menschen, und er meinte, das Menschenblut sei süßer als aller Honig; nur schade, daß man nicht viel davon vertragen könne, weil es dusselig mache. Soviel von seiner Speisekarte.

Da Rumbo dumm war, war er auch faul, und so kam es, daß er meistens der Länge lang auf dem Boden lag und schlief.

Wie er nun einmal so da lümmelte, fühlte er ein Jucken in seiner Nase und mußte niesen; — hatzi! flog ein Mensch aus seinem Nasenloch und mitten auf die ganz mit zottigen Haaren bedeckte Brust.

"Hahaha!“ lachte der Mensch; "da bin ich aber mal schön weich gefallen.“

"Was! Du lachst noch?“ brüllte Rumbo, "dich werde ich übermorgen fressen.“

"Mich?" rief der Mensch, — "dazu bist du ja viel zu dumm. Ehe du mich ergreifst, bin ich schon ganz wo anders."

Und richtig, wie Rumbo nach ihm fassen wollte, saß der Mensch schon in seinem linken Ohre und schrie hinein: "Du großer Esel!"

Rumbo begriff, daß das eine Majestätsbeleidigung war und wollte ihn sich mit seinem kleinen Finger (Klein! — Du lieber Gott! Er hatte die Ausdehnung von Frau Klara Ziegler!) aus dem Ohre trillern, aber da war der Mensch schon lange weg. Und wo saß er? Im Winkel des linken Auges und kitzelte den Riesen.

"Geh weg!" schrie Rumbo, "das kann ich nicht leiden." (Es war ihm, wie wenn uns eine Mück ins Auge gekommen ist.)

Der Mensch aber sagte: "Nicht eher, als bis du mir versprichst, mich in Ruhe zu lassen."

"Ja doch, ja doch," brüllte der Riese, "mach nur, daß du aus meinem Auge 'rauskommst. Das ist zu widerwärtig."

"Siehst du wohl?" sagte der Mensch, "was Kleines kann auch unangenehm werden", und er setzte sich auf eine Warze, die sich wie ein mit Gras bewachsener Hügel, über und über mit Haaren bedeckt, auf des Riesen Nasenspitze erhob.

"Das ist ein angenehmer Aussichtspunkt," sagte er, wie er dort saß, indem er vergnüglich mit den Beinen baumelte und sich eine Zigarre anzündete. "Ich habe zwei Seen vor mir, die von Tannen umgeben sind, und dahinter ist ein Gebirge mit vielen Schluchten, und hoch oben ein Wald von roten Bäumen. Diese Landschaft verdient einen Stern im Bädeker; ich werde hier ein Aktienhotel gründen."

"Na ja: Meine Augen, meine Stirne und mein roter Haarschopf," sagte der Riese geschmeichelt; "aber was ist dir denn eingefallen, daß du in meine Nase gekrochen bist? Dort zieht es doch?!"

"Eben darum, es ist infam heiß heute und ich dachte es mir gleich, daß in diesem Blasebalgfang ein guter Wind ginge", antwortete der Mensch.

"Ja, hast du denn keine Furcht?"

"Vor wem denn?"

"Na, vor mir!"

"Vor dir? Dazu bist du mir zu dumm."

Da merkte der Riese, daß dieser Mensch, wenn nicht gar ein Genie, so doch ganz gewiß ein brauchbares Talent war, und er sprach:

"Du gefällst mir, Mensch, du kannst als Gehilfe bei mir eintreten. Wie heißt du denn?"

"Frechdachs," antwortete der Mensch.

"Das ist ein schöner und passender Name für einen Menschen von dieser Begabung," meinte der Riese; "also, willst du?"

"Meinetwegen," sagte Frechdachs, "wenn es nur was Ordentliches zu tun gibt und nicht so gewöhnliche Hantierungen wie in der Stadt. Dort haben sie nichts mit mir anfangen können und wollten mich deshalb ins Gefängnis sperren. Ich bin aber ausgerissen."

"Na, dann paßt du ja famos zu mir, Frechdachs!" sagte Rumbo. "Du sollst dich nicht zu beklagen haben. Bei mir gibt's nur solche Sachen zu tun, die in der Stadt verboten sind."

"Das kann ich mir denken," sagte Frechdachs, "denn du selber würdest in der Stadt verboten werden, wenn sie dich verbieten könnten. — Aber sag mal, wozu brauchst du denn einen Gehilfen, du großer Schuft und Schlagtot? Ein Kerl, wie du, braucht ja bloß irgendwo hinzufallen, und gleich liegt rechts und links von ihm, was er braucht."

"Das verstehst du nicht," sagte Rumbo. "Ich bin z u groß. Erstens werd' ich zu schnell bemerkt; dann sind meine Bewegungen zu langsam; und schließlich kann ich so kleines Zeug, wie ihr Menschen seid, nicht gut anfassen. Entweder zerquetsche ich so eine Made, oder sie rutscht mir durch eine Fingergelenksfalte weg. Ich sage dir: ich müßte verhungern, wenn ich mich von euch Marschiermücken nähren müßte. Zum Glück brauche ich das zweibeinige Milbenvolk nur als eine Art süßer Verdauungspillen. Aber dazu seid ihr Zappelgemüse mir unbedingt nötig. Und deshalb ist es mir sehr angenehm, einen Menschen als Gehilfen zu haben, denn niemand kann einen

Menschen besser fangen, als ein Mensch. Im Grunde könnt ihr ja auch nichts, als das. — Ich habe darum von jeher und immer Menschen als Gehilfen gehabt, aber leider, leider waren es regelmäßig unvorsichtige Burschen, die allzubald auf irgendeine Weise bei mir zugrunde gingen. Der eine fiel mir ins Ohr und brach das Genick auf meinem Trommelfell; der andere verlief sich im Dickicht meiner Haare und verhungerte; ein dritter ertrank in einem Schweißtropfen von mir; ein vierter, der Korpsstudent gewesen war und sich das Trinken nicht abgewöhnen konnte, hielt in der Betrunkenheit, als ich einmal gähnte, meinen Mund für einen Weinkeller, lief hinein und erstickte, wie ich den Mund zugemacht hatte, in einem hohlen Zahn; — und so weiter, und so weiter. Du siehst also, daß du gut aufpassen mußt.“

”Mir passiert so was nicht; verlaß dich darauf,“ meinte Frechdachs; ”ich bin daran gewöhnt, aufzupassen, wie ein Luchs, denn ich gehöre zu den Vogelfreien, die auch unter Menschen immer auf der Hut sein müssen. Bloß die Käfigmenschen, die Mastgimpelnaturen, die den Freßkober stets bei sich am Halse tragen, dürfen es sich erlauben, ohne besondere Aufmerksamkeit ihrem Tagwerke nachzugehen. Wir, die wir nicht so tugendhaft und stäte sind, sondern immer tapfer und resolut auf Taten ausziehen, für die man früher geadelt wurde, jetzt aber ins Kittchen gesperrt wird — wir müssen immer die Ohren steif und die Augen offen halten. Meinetwegen kannst du also ganz ruhig sein. — Aber: Was krieg’ ich denn als Lohn?“

”Was? Lohn willst du auch noch?“ brüllte Rumbo, der in seinem Souveränitätsgefühle beleidigt war. ”Sei froh, daß ich dich nicht zum Nachtisch einnehme. Nein, mein Lieber, Lohn gibt’s nicht. Höchstens einen Titel. Wie willst du lieber heißen: General oder Hofmarschall?“

”Gar nichts will ich heißen,“ sagte Frechdachs; ”Lohn will ich haben.“

”Also, wie viel denn?“ fragte Rumbo.

”Kein Geld,“ antwortete Frechdachs, ”das kann ich mir stehlen; du sollst mich zu einem Riesen machen, wie du selber einer bist.“

”Das kann ich nicht,“ sagte Rumbo.

”Doch kannst du’s,“ erwiderte Frechdachs, ”mach keine Flausen; ich bin nicht so dumm, wie du aussiehst, und weiß ganz gut, daß du’s kannst. Aber du willst nicht, weil du Angst hast, daß ich dich dann totschlage, du Feigling."

"Na, also gut, Frechdachs," sagte Rumbo, dem bei so viel Intelligenz angst und bange wurde, "ich mache dich zu einem Riesen, aber erst, wenn du mir hundert Menschen gebracht hast." ('Nach dem Neunundneunzigsten freß ich ihn auf,' dachte er sich.)

"Abgemacht," sagte Frechdachs. "Und was soll ich zuerst tun?"

"Hm, ja, warte mal," überlegte der Riese eine Weile; "da ist drüben in der Wassermühle der junge Müller Bartel Klippklapp, der ist weiß wie sein Mehl vor lauter Fett und muß allerliebst nach Korn schmecken. Den hol mir! Aber er ist schlau, weißt du. Du mußt es klug anstellen."

"Wenn's weiter nichts ist," sagte Frechdachs, rief seinen Rappen, der in der Nähe weidete, schwang sich in den Sattel und ritt davon.

Schon nach fünf Stunden kam er wieder und schleppte den jungen Müller an einem Stricke erwürgt hinter sich her.

"Sieh mal an!" lachte der Riese, "da hast du ja den Bartel Klippklapp, der so schlau war. Bist wohl noch schlauer gewesen?"

Frechdachs antwortete: "Dazu hat nicht viel gehört. Der dumme Kerl stand gerade in seinem Garten und las Raupen vom Kohl. 'Du, Bartel,' rief ich, 'was machst du denn da?' 'Raupen lesen,' sagte Bartel. 'Was machst du denn mit den Raupen,' fragte ich. — 'Was soll ich denn damit machen?' antwortete er; 'tot machen tu' ich sie; sie fressen mir sonst meinen Kohl.' — 'Na, höre mal,' sagte ich, 'das ist aber lieblos; die armen Tierchen wollen doch auch leben.' — 'Bist du so ein Esel,' erwiderte Bartel, 'daß du dir deinen Kohl von Raupen fressen läßt?' — 'Nein,' sagte ich, 'ich habe gar keinen Kohl, aber Hunger. Gib mir einen Kohlkopf, Bartel.' — 'Hast du Geld?' fragte der Müller. — 'Nein,' sagte ich, 'du sollst mir ihn schenken.' — 'Du kannst meine Rückseite bewundern,' rief er da, lachte und drehte sich um. — 'Wart,' dachte ich, 'alter Geizkragen, für meinen Meister Rumbo sollst du auch bald eine Raupe sein,' warf ihm die Schlinge meines Strickes um den Hals, zog sie fest an, und ritt hui, hussa, hop, galopp mit dem Anhängsel davon. Da hast du den Mehlwurm!"

Der Riese war sehr zufrieden mit dieser Leistung und lobte seinen Gehilfen, fand aber, daß der Müller zu mehlig schmeckte. — "Bring mir was Pikanteres das nächstemal," befahl er.

Frechdachs machte sich auf und überlegte: 'Wen soll ich bringen? Pikant, das ist leicht gesagt, aber wo gibt es heutzutage Menschen von pikantem Geschmack, die noch g e n i e ß b a r sind? Wenn ich den Doktor Schwalbendreck erwischte, dem vor Brotneid das Blut sauer geworden ist und der infolge seiner krankhaften Begierde, üble Gerüchte zu verbreiten, einen netten kleinen Herzkrebs von zweifellos schwefligem Geschmacke acquiriert hat, so wäre das ja am Ende ein gefundenes Fressen für meinen Herrn und Meister, der überdies, so viel ich weiß, noch keinen Dramatiker gegessen hat, aber erstens wird es schwer sein, dieses Herren habhaft zu werden, der sehr vorsichtig geworden ist, seitdem ihm jemand von ferne eine Pistole gezeigt hat, und dann fürchte ich, daß er schließlich z u penetrant schmeckt. Vergiften darf ich meinen verehrten Giganten doch auch nicht gleich. Sonst brauchte ich ihm ja nur ein Gänseweißsauer von verleumderischen Klatschbasen zu servieren, deren ich einige in der Stadt Knödelimkraut recht gut kenne.... Halt! Wie wärs mit dem dicken Literaten, der früher Pastor war!? In ihm vereinigt sich ein Restchen pfäffischer Heimtücke mit journalistischer Giftdrüsenhypertrophie, — eine angenehme Mischung, sollte ich meinen.... Aber diese Art Leute sind schwer zu fassen. Es gibt keinen Strick, aus dem sie sich nicht zu winden vermöchten. Ich spare ihn mir für ein andermal auf!' — So ritt Frechdachs in ziemlicher Verlegenheit durch Flur und Auen. Da begegnete ihm in seiner Kutsche der Doktor Rasso Schneidebein, der zu einer armen alten Frau gerufen worden war.

"He, Herr Doktor, Herr Doktor!" rief Frechdachs, "bitte, kommen Sie doch gleich zu meinem Meister, der sich übergessen und Bauchkneipen hat, und geben Sie ihm was ein."

"Hat dein Meister Geld?" fragte Doktor Schneidebein.

"Na, ich danke," sagte Frechdachs, "Geld wie Heu! Sie kriegen zehn Taler."

"Zehn Taler?" dachte sich der Doktor, "das ist ein hübsches Stück Geld, und von der Alten krieg' ich bloß ein Vergeltsgott. Mag sie meinetwegen ohne mich sterben!"

"Also schön," sagte er, "ich komme mit; es muß aber auch etwas Ordentliches zu essen geben."

"Einen fetten Braten," sagte Frechdachs und sah dabei den Doktor an, der in der Tat sehr fett war.

Als sie in die Nähe des Waldes kamen, wo der Riese wohnte, wurde es dem Doktor unheimlich zumute.

"Das ist ja der wilde Wald, wo der Menschenfresser haust," rief er; "bist du wahnsinnig, daß du mich dorthin führst?"

"Wieso denn," sagte Frechdachs, "es ist ja der M e n s c h e n f r e s s e r , dem Sie etwas eingeben sollen, weil er Bauchweh hat."

"Um Gottes willen," schrie der Doktor, "was soll ich denn dem Riesen eingeben?"

"Sich selber sollen Sie ihm eingeben, denn Sie stecken ja voll von Medizin," sagte Frechdachs.

"Nein, nein, nein, das will ich nicht," rief der Doktor; "ich muß zu einer alten Frau, die im Sterben liegt. Umkehren, Kutscher, umkehren!"

"Das hättest du früher sagen sollen, alter Schuft," rief Frechdachs, schlug dem Doktor den Schädel ein, legte ihn quer vor sich auf den Sattel und galoppierte davon, ehe der Kutscher seinem Herrn hätte zu Hilfe kommen können.

Auch mit dieser Leistung war Rumbo sehr zufrieden, zumal der Doktor in der Tat sehr pikant nach Karbol, Jodoform und anderen Medizinen schmeckte.

"Du bist ein verflixter Kerl, Frechdachs," sagte er, "und verstehst Abwechslung in meinen Nachtisch zu bringen. — Was gibt's denn n ä c h s t en Sonntag?"

"Einen Pfarrer," antwortete Frechdachs.

"Ah," schmunzelte Rumbo, "einen Pfarrer! Das ist eine ganz herrliche

Idee! Such aber einen recht fetten aus, ja?“

”Ich weiß schon einen,“ sagte Frechdachs, und dachte an den, der ihm in der Christenlehre immer so heftig ins Gewissen geredet hatte, weshalb er ihn aufrichtig haßte. Ging also zu ihm und sprach: ”Lieber Herr Pfarrer, ich soll Euch zu einer Gastmahlzeit bei meinem Herrn, dem reichen Gutsbesitzer Jörg Maulvoll, einladen für nächsten Sonntag. Mein Herr würde glücklich sein, einen so heiligen Mann nach Verdienst mit den herrlichsten Speisen und Weinen zu bewirten.“

Und fügte noch viele grobe Schmeicheleien und Erzählungen hinzu, was für schöne und gute Dinge es geben werde.

Der Pfarrer war aber wirklich ein frommer Mann und sprach: ”Am Sonntag habe ich keine Zeit, viel zu essen und zu trinken, da muß ich meine Predigt halten. Komm du in meine Predigt, Bursche, und dein Herr auch, das ist m e i n e Einladung. Leb wohl!“

’Au weh,‘ dachte sich Frechdachs, ’bei dem bin ich schief angekommen. Wenn die Pfarrer alle so sind, kann sich Rumbo den Mund wischen.‘

Es waren aber nicht alle so. Schon beim nächsten glückte es.

”So,“ sagte der, ”gefüllten Truthahn, eingemachte Hammelnieren, Erdbeeren mit Schlagrahm, Apfelsinentorte und Muskatwein? Hm, hm! Und Herr Maulvoll ist ein Mann, der einen heiligen Lebenswandel schätzt? Gut. Gut. Ich komme. Ich komme gleich mit.“

Während er sich reisefertig machte, kam ein Bote und meldete, daß ein armer Taglöhner am Sterben sei und gerne noch mit dem Herrn Pfarrer beten wolle.

”Ich habe eine wichtige Abhaltung,“ sagte der Pfarrer; ”so schnell stirbt sich’s nicht; er soll bis morgen warten.“

’Du wirst gleich sehen, wie schnell sich’s stirbt,‘ dachte sich Frechdachs, half dem dicken Pfarrer in die Kutsche, setzte sich auf den Bock und fuhr los. Die Pferde liefen wie der Wind, die Kutsche sprang und tanzte nur so über Stock und Stein.

”Nicht so schnell, nicht so schnell,“ rief der Pfarrer; ”das Essen wird mir nicht bekommen, wenn ich so durchgerüttelt werde."

"Aber mürbe wirst du werden!" rief Frechdachs.

"Mürbe? Wieso? Was heißt das?" keuchte der Pfarrer.

"Das heißt, daß du ein zäher Heuchler bist. Hü! Rappen! Hü! Rumbo hat Hunger."

"O Gott! O Gott! O Gott!" stöhnte der Pfarrer. "Der Teufel sitzt auf dem Bocke."

"Nein, des Teufels Küster sitzt in der Kutsche," sagte Frechdachs, kehrte die Peitsche um und schlug mit dem dicken Ende den schlechten Pfarrer tot.

Wie Rumbo diesen dicken Mann sah, lief ihm das Wasser im Munde zusammen, und er wollte sich gleich über ihn hermachen.

"Nein, Meister Rumbo, damit wollen wir noch ein bißchen warten," sagte Frechdachs. "Ich habe mir einen herrlichen Spaß ausgedacht. Den Pfarrer soll der Teufel verspeisen, Ihr aber den Teufel!"

"Du bist selber des Teufels!" rief Rumbo. "Wo denkst du hin! Der Teufel ist stärker als ich."

"Ja, wenn er keinen Pfarrer im Leibe hat. Von dem da aber kriegt er das Bauchgrimmen von wegen der Geweihtheit, und dann werden wir seiner fix Herr."

"Hm. Das läßt sich hören. Wie willst du aber den Teufel herbekommen?"

"Das laßt nur meine Sorge sein!"

Frechdachs, wie ihr wohl schon bemerkt habt, verstand sich auf Teufeleien, und so ist es kein Wunder, daß er sich auch auf den Charakter des Teufels und seiner Großmutter verstand.

Er ging zu einer Felsenspalte, wo, wie er wußte, der Teufel oft herauskam, Kienäpfel zu suchen, die er zur Heizung der Hölle brauchte.

"He," rief er da, "Herr Baron! Herr Baron!"

"We...we...wer ruft denn da?" meckerte es aus der Felsenspalte. "Mein Enkel hat keine Zeit. Er macht sich eine Klaviatur aus Geizhalsknochen."

"Ah," rief Frechdachs, "hochwohlgeboren die Frau Teufelin-Großmutter! Nein, was für eine schöne Stimme! Sie sollten die Königin der Nacht singen! Ich hab' mein Lebtag keinen solchen Sopran gehört."

Des Teufels Großmutter hatte ein Gefühl, als würde sie mit altem Dachsfett eingerieben, so angenehm fuhr ihr diese Schmeichelei über die runzelige Haut. Sie erschien sofort in der Spalte.

Jeder andere Mensch würde vor ihrer Häßlichkeit in Ohnmacht gesunken sein. — Ihre Nase war ein Schweinsrüssel; ihr Mund eine grüne gezackte Furche, die von Ohr zu Ohr reichte; ihre Ohren aber waren zwei alte, feuchte graugelbe Waschlappen. Von Zähnen hatte sie nur zweie, die aber standen wie die Hauer einer Wildsau krumm empor, ganz braun, und der eine wackelte. Ihre Augen saßen wie Krebsaugen an Stielen und waren gelb und fransig wie Pfifferlinge. Anstatt Haaren hatte sie graugrüne Tannenflechten, die mit schmutzigem Harz verklebt waren. Zwei gräßliche braune, mit gelben Adern überzogene Kröpfe baumelten ihr wie große Flaschenkürbisse am Halse. Als Kleidung trug sie lederne Hosen und eine Jacke aus demselben Stoffe, beides Stücke der Ausrüstung eines eben in der Hölle angekommenen Automobilisten, der als Klecks an einer Gartenmauer geendet hatte, nachdem unter seinem Mordwagen zwanzig Menschen umgekommen waren. Auch die Lärmtrompete dieses Straßenmörders trug sie am Gürtel, und es machte ihr Spaß, zuweilen auf den Gummiball zu drücken, daß es nur so tutete.

"Frau Baronin beherrschen auch noch dieses modernste aller Musikinstrumente?" rief Frechdachs, den ihre Erscheinung durchaus nicht außer Fassung gebracht hatte. "Nein, wie talentvoll Sie sind! Und wie Sie aussehen! Wie Sie aussehen! Die ewige Jugend! Wirklich, es ist ein Verbrechen, daß Sie sich der Bühne entziehen!"

Des Teufels Großmutter wand sich vor Entzücken, daß alle ihre Knochen knackten, und sprach: "Sie haben viel Lebensart, mein Herr, und ich hoffe, Sie bald bei uns begrüßen zu können. Aber was wünschen Sie eigentlich?"

"Ach," antwortete Frechdachs, "eine Kleinigkeit. Mein Meister, der berühmte Rumbo, möchte eine Menschendörrmaschine anlegen, weil er das rohe Fleisch nicht mehr verträgt, und da es dafür keine Installateure gibt, möchte er den Herrn Baron, Ihren Enkel, bitten, die Anlage zu übernehmen. Über den Preis werden sich der Herr Baron und mein Meister schon einigen."

"Gewiß, gewiß, mein Herr. Mein Enkel arbeitet zwar sonst seit den Zeiten der Inquisition nicht mehr außer Hause, mit Ausnahme der Automobilbranche, aber er wird mir zuliebe schon eine Ausnahme machen. Was krieg' ich denn für meine Fürsprache?"

"Einen Kuß!" sagte Frechdachs, machte ohne Zaudern einen Schritt vorwärts und küßte die Alte auf ihre grüne Furche.

Darauf mußte er, wieder zu Hause angekommen, sich zum erstenmal in seinem Leben die Zähne putzen.

Ihr könnt euch denken, was für Augen Rumbo machte, als er hörte, daß der Teufel selber ihn besuchen wollte. Er war außer sich vor Freuden darüber, denn er zweifelte gar nicht mehr daran, daß es ihm gelingen werde, den Teufel zu verspeisen.

"Denke dir bloß," sagte er zu Frechdachs, indem er sich fortwährend die wulstigen Lippen mit seiner breiten Zunge ableckte, "ich werde den Teufel als Nachtisch genießen, als Pille einnehmen, als Bonbon schlucken! Das wird nicht bloß ein großes Vergnügen für mich, sondern das erste Verdienst sein, das ich mir um die Menschheit erwerbe. Paß auf, sie werden mir in einer schönen Hurrah-Allee neben lauter Kaisern, Königen, Herzogen, Prinzen, Generalen und Diplomaten ein zuckerblankes Denkmal setzen und darauf schreiben: 'Ihrem großen Wohltäter Rumbo, der den Teufel gefressen hat, die hochachtungsvoll dankbare und ganz ergebene Menschheit.' — Ha, und wie er nach Pech und Schwefel schmecken und wie heiß sein Blut sein wird! Wahrhaftig, Frechdachs, du bist ein Hauptkerl! Komm her, ich muß dir einen Kuß geben!"

"Lieber nicht!" sagte Frechdachs, "es könnte leicht passieren, daß du mir vor lauter Zärtlichkeit dabei den Kopf abbissest, und ich habe mir sagen lassen, daß das ein unangenehmes Gefühl ist. Wir wollen uns lieber darüber einigen, wie hoch du mir den Teufel anrechnest. Denn das ist doch wohl klar, daß er mehr gilt als ein Mensch."

"Das versteht sich," sagte Rumbo, "alles, was recht ist: Der Teufel muß mehr gelten, als ein Mensch. Darüber sind sich die Gelehrten einig."

"Na, das freut mich, daß du das einsiehst, obwohl du viel dümmer bist als lang und breit," meinte Frechdachs, den seine Erfolge noch unverschämter gemacht hatten als er von Natur schon war, "aber nun wollen wir mal sehen, ob du dir auch einen Begriff machen kannst, u m w i e v i e l der Teufel mehr gelten muß als der Mensch."

"Ich glaube," sagte Rumbo nach einigem Nachdenken, "wir können ihn für fünf Menschen rechnen."

"Warum gerade für fünf?" fragte Frechdachs.

"Wenn fünf Menschen ihren Verstand zusammentun," antwortete Rumbo, "sind sie imstande den Teufel zu betrügen."

"Das ist richtig," sagte Frechdachs, "aber der Verstand ist auch des Teufels schwächste Seite. Du mußt mehr sagen, Rumbo!"

"Hm," sann der nach, "hm, warte mal: Sagen wir zehn!"

"Warum zehn?" fragte Frechdachs.

"Wenn zehn Menschen," antworte Rumbo, "ihre Bosheit zusammentun, ist es so viel Bosheit, wie der Teufel allein besitzt."

"O," meinte Frechdachs, "da irrst du dich. Wenn es auf die Bosheit ankäme, brauchten wir den Teufel nicht höher zu berechnen als einen Menschen, denn ein Mensch hat für sich allein mehr Bosheit im Leibe als der Teufel und seine Großmutter zusammen. Trotzdem ist aber zehn eine zu n i e d e r e Zahl; du mußt schon noch was drauf legen."

"Hör mal," sagte Rumbo, "du bist doch wirklich ein Frechdachs. Du tust gerade so, als wenn ich ein kleiner Junge wäre, und ich säße bei dir in der Rechenstunde. Sage mir lieber gleich, wie hoch ich dir den Teufel anrechnen soll."

"Du sollst ihn mir," sagte Frechdachs, "für h u n d e r t Menschen anrechnen, denn der Teufel ist hundertmal e h r l i c h e r als ein Mensch."

"Ich denke, er ist der Vater der Lüge?" meinte Rumbo.

"Das schon," erwiderte Frechdachs, "aber er leugnet das auch gar nicht. Er lügt immer und ewig, nur in einem nicht. Er sagt nicht: 'Ich bin die Wahrheit,' wie er auch nicht sagt, 'ich bin die Liebe,' oder: 'ich bin die Güte.' Nein, der Teufel ist die Lüge, der Haß, die Bosheit, aber das bekennt er auch, während die Menschen sich immer besser stellen, als sie sind, und keiner treffgenau das ist, was er scheinen möchte. — Aber, um das zu kapieren, bist du wirklich zu dumm, Rumbo, denn nicht einmal die Menschen, die doch im allgemeinen klüger sind, als du, wollen das einsehen. Gib dir weiter keine Mühe, das Rechenexempel zu fassen, und nimm es einfach für richtig an. So hast du am wenigsten Schererei und darfst dabei die angenehme Empfindung haben, an eine große Wahrheit wenigstens zu g l a u b e n , wenn du sie auch nicht begreifst."

Von diesen Bemerkungen ward es dem Riesen in seinem dürftigen Gehirne schwindelig, und er sagte, um nicht weiter denken zu müssen: "Also ja, meinetwegen, lassen wir ihn für hundert gelten. —"

Am nächsten Sonntag machte Frechdachs aus dem Pfarrer ein schönes Ragout, das er, da er den Geschmack des Teufels kannte, sehr stark pfefferte. Rumbo aß nichts davon, weil er sich den Geschmack nicht verderben wollte, denn, sagte er sich, ein schlechter Pfarrer ist zwar ein Teufelsbraten, aber der Teufel selber ist doch noch eine größere Delikatesse.

Punkt zwölf Uhr kam der Teufel in einem feuerroten Automobil angefahren, das aber nicht mit Benzin betrieben wurde, sondern mit der Speiwut verleumderischer Menschen, deren Seelen im Kraftbehälter eingesperrt waren und einander gegenseitig zum Explodieren brachten. Infolgedessen lief das Automobil in der Stunde tausend Kilometer, doch stank es dafür auch noch hundertmal mehr als ein gewöhnlicher Motorwagen. Es hatte vorn eine große und etwas weiter hinten an der Seite zwei etwas kleinere Laternen. Die vordere brannte so entsetzlich stechend grün und grell, daß alle Blumen, die ihr Schein traf, verwelkten. Es war nicht Azetylen, was darin leuchtete, sondern der Neid. Die rechte Seitenlaterne hatte ein rotes zuckendes Licht, das eine große fressende Hitze ausstrahlte. Es war der Haß, der in ihr brannte. Die linke Seitenlaterne gab ein fahles, blaues, kaltes Licht, in dem alles tot, erbärmlich, winzig aussah. Dieses Licht war die Verkleinerungssucht. — Als Bremsleder hatte der Teufel unzählige übereinandergepreßte Häute von solchen Menschen verwendet, die, auf kein anderes Recht fußend, als das der Majorität der herrschsüchtigen Dummköpfe, Zeit ihres Lebens mit Erfolg bestrebt gewesen waren, die Arbeit heller und heiterer Köpfe zu stören. Diese Bremsleder funktionierten mit unfehlbarer Sicherheit; doch hatten sie einen Nachteil: sie schnurrten und brummten entsetzlich, wenn sie in Tätigkeit waren. — Luftschläuche verwandte der Teufel an den Rädern seines Automobiles nicht. Er hatte sich aus den Gehirnen von Höflingen und Demagogen eine Masse konstruiert, die so elastisch und nachgiebig war, daß sie jeden Stoß aufhob. — Die Laufmäntel aber waren aus einer Paste geknetet, die im wesentlichen aus dem Rückenmark von Menschen bestand, die während ihres Lebens keine höhere Wollust gekannt hatten, als sich aus trotzigem Eigensinn beharrlich gegen jede bessere Einsicht zu sperren. Es war eine überaus zähe Paste, mit der man ruhig über Granitsplitter fahren konnte. — Als Polster auf den Sitzen seines Laufwagens verwandte der Teufel Luftkissen, die aber nicht mit gewöhnlicher Luft, sondern mit dem blauen Dunste utopistischer Ideen gefüllt waren. Besonders bequem saß sich auf dem einen Kissen, das der Teufel das Egalité-Kissen nannte.

Der höllische Baron sah in seinem Chauffeurkostüm sehr schick, also sehr scheußlich aus. Er trug, das Fell nach außen, einen zottigen, rostroten Gorillapelz als Joppe und schwarze Bockslederhosen, die unten von Elchledergamaschen umschnürt waren. Seine Fahrbrille hatte natürlich rote Gläser, und in seiner Mütze waren zwei Löcher für die Hörner angebracht, welche sich für das Automobilfahren als besonders praktisch erwiesen, weil sie ein Sturmband ersetzten. Statt der Hubbe benützte der Herr Baron von Pechheim auf Schwefelhausen eine der Posaunen des jüngsten Gerichtes, die bei ihm in Versatz gegeben sind bis zu dem Augenblick, wo man ihrer benötigt.

"All Unheil!" rief der Teufel, als er angekommen war, "da bin ich! Ich komme direkt aus der Mandschurei, wo ich jetzt los bin. Viel Zeit habe ich nicht; da oben gibt's jetzt alle Hände voll für mich zu tun. — Aber zuerst was zu essen, wenn ich bitten darf; dann will ich gleich den Menschendörrapparat aufstellen. Übrigens haben die Menschen schon selber genug solcher

Apparate konstruiert, in Fabriken, Bureaus, Schulen und so fort, aber ich sehe ein, Sie brauchen einen, der schneller arbeitet. — Also schnell, schnell, einen Happen-Pappen!"

Frechdachs rannte in die Küche und trug, die Serviette unterm Arm, das klerikale Ragout auf.

"Was ist das, wenn ich fragen darf?" sagte der Teufel.

"Ein kleines *Ragout fin aux fines herbes pastorales* als Vorspeise," antwortete, die Schüssel präsentierend, Frechdachs, während Rumbo, auf dem Bauche liegend, den Teufel so mit seinen Blicken verschlang, als genösse er ihn in der Phantasie bereits leibhaft.

Die ganze Szene war von Frechdachs so arrangiert, daß Rumbo in der Tat bloß zuzuschnappen brauchte, — wohlgemerkt, wenn der Teufel vorher gefesselt war, und zwar k r e u z weis, denn so lange der Teufel nicht das Zeichen des Kreuzes in fester Verknüpfung von hanfenen Seilen an sich spürt, ist er von niemand zu fassen und zu fangen. 'Ihn kreuzweise zu fesseln,' dachte sich Frechdachs aber, 'wird nicht weiter schwer sein, wenn erst das Magenweh nach genossenem *filet de curé* eingetreten ist. Der Teufel wird sich an den Leib fassen, sobald ihm von dem geweihten Fleische übel wird, und in diesem Augenblick der Schwäche werde ich ihm kreuzweise die Schlinge über Hände und Bauch werfen. Und dann, hurra! hinein mit dem Schwefelfritzen in den offenen Rumborachen.' (Denn die Tafel stand direkt vor dem Maule Rumbos, mit der angenehmsten Aussicht auf das Dolomitenpanorama der Zähne des Riesen.)

Man sieht, alles fußte auf der Voraussetzung, daß den Teufel, da er ja kirchlich Geweihtes durchaus nicht vertragen kann, vom Fleische des Pfarrers Übligkeit und Schwäche anwandeln werde. (Ist es ja doch bekannt, daß allein der Wind, der durch das Umblättern eines Meßbuches entsteht, ihn tausend Meilen weit wegzutreiben vermag, und wenn er sich gleich in einen zwei Zentner schweren Viehhändler verwandelt hätte!)

Indessen: Frechdachs hatte eines vergessen: daß nämlich der von ihm erschlagene Pfarrer ein ganz gottloser und schlechter Pfarrer war, bei dem die Weihe lediglich am priesterlichen Gewande, nicht aber an der Person haftete.

So kam es, daß der Teufel das Ragout bis auf den letzten Rest verspeiste, ohne das mindeste Bauchweh zu verspüren. Wischte sich mit Behagen den Mund und sprach: "Gut gewesen, das Ragoutchen; ein bißchen weichlich zwar und mit einem ganz leisen, etwas widerlichen Geschmacke wie Weihrauch, aber sonst: mein Kompliment! Nun, bitte, die nächste Platte!"

Frechdachs stand fassungslos hinter des Teufels Stuhle, das Seil, zum Wurf bereit, in der Hand, und stammelte: "Gleich, Herr, gleich ... ich ..."

"So wirf doch," brüllte Rumbo, "wirf doch! Ich halt's nicht mehr aus." Und er klappte seine Kiefer zu, daß es nur so krachte; riß sie aber gleich wieder auseinander in höchster Freßbegierde.

'Holla!' dachte sich der Teufel, 'da ist was los!' drehte sich um, sah Frechdachs hinter sich mit dem Seil stehen, und lachte: "Gucke mal an! Das Bürschchen da wollte den Teufel fangen. Respekt! Und das große Maul da wollte ihn vermutlich fressen? Ausgezeichnete Idee! Ihr zweie gefallt mir. Ihr sollt der Ehre gewürdigt sein, auf eine noch nie dagewesene Manier von mir geholt zu werden. — Na? Ihr bettelt ja gar nicht?"

"Wenn es einige Aussicht auf Erfolg hätte, würde ich es gewiß tun," sagte Frechdachs, der schon wieder seine Fassung gewonnen hatte. "Aber so weit bin ich denn doch in die Geheimnisse der Dämonologie vorgedrungen, daß ich weiß: Betteln hilft nicht bei Seiner höllischen Majestät; es macht ihm zwar Vergnügen, es anzuhören, aber er steckt einen doch in seinen Wurstkessel. Bitte sich zu bedienen! Ich stehe dem Herrn Baron zur Verfügung. Bin neugierig, auf was für eine neumodische Manier er mich holen wird."

Diese Frechheit imponierte dem Teufel.

"Du gefällst mir, Halunke!" sprach er. "Deine Seele ist so ausgepicht, daß es mir schwer fallen dürfte, dir höllische Überraschungen zu bereiten. Du hast ganz das Zeug dazu, ein Dienstteufel zu werden. Ich mache dich zu meinem Leibchauffeur. Einige Unbequemlichkeiten sind mit dem Amte ja immerhin verbunden, denn mein Verfluchter-Seelenmotor hat manchmal seine Mucken, und du wirst beim Umdrehen oft genug Gelegenheit haben, zu bereuen, daß du dich bei Lebzeiten zu schlecht aufgeführt hast, als daß du nach dem Tode der bequemen Ehre hättest gewürdigt werden können, als Tugendtenor in der himmlischen Vokalmusik mitzuwirken.“ — Damit gab er Frechdachs einen Tritt in die Magengegend. Frechdachs stöhnte: ”Verdammt nochmal!“ und war tot. Der Umstand, daß er nicht oben, sondern unten die Probe auf das Exempel der Unsterblichkeit machen sollte, äußerte sich darin, daß seine Seele ihren Ausweg nicht durch ein oberes, sondern durch ein unteres Körperventil suchte und fand, und daß sie dem entsprechend nicht nach Lilien duftete, wie es der Fall beim letzten Entweichen tugendhafter Seelen ist. Der Teufel machte eine Bewegung, als finge er eine Fliege in der Luft, und da hatte er die Frechdachsische Seele auch schon. Statt sie aber in sein Portemonnaie zu stecken, wie er sonst zu tun pflegte, rieb er die Leiche des verschiedenen Frechdachs in der Nabelgegend damit ein, worauf dort wie in blauer Tätowierung das Monogramm des Teufels (er benutzt neuerdings eines in van de Veldescher Unleserlichkeit) erschien und Frechdachs als Dienstteufel zu einem neuen Leben erwachte. Es war ihm in den paar Minuten auch schon ein niedliches Hörnerpaar aus der Stirnwand gesprossen, was sich gar nicht übel ausnahm, und hinten wackelte dienstbeflissen schmeichlerisch ein kleines, recht artiges Schwänzchen, das den Hosenboden offenbar ohne viel Mühe perforiert hatte. In einem Dialekte, der wie englisch ausgesprochenes Latein klang, aber das Höllenvolapük war, sprach er: ”Befehlen Eure Satanität, daß ich den Motor andrehe?“

”Ja, tu das, mein Sohn,“ antwortete der Teufel durchaus freundlich, ”aber erst sag mir mal: Was ist denn mit diesem Rumbo los, daß er immer noch mit offenem Maule daliegt? Hat er etwa a u c h keine Angst?“

”Aber Meister!“ sprach Frechdachs, ”seid Ihr wirklich ein so schlechter Psychologe? Ihr solltet Euch auf Seelen doch von Berufs wegen verstehen. So dumme Kerle haben natürlich n i e Angst. Die Stupidität ist durch passive Courage vor allen anderen Lebewesen ausgezeichnet.“

”Bei meinem Schwanz! Das hatt’ ich ganz vergessen,“ sagte der Teufel. ”Und es ist doch, weißderhole, eine Wahrheit von vielen Karaten. Indessen soll dieser Held der Dämligkeit einmal keinen Orden kriegen für seinen heroischen Mangel an Einsicht, sondern in seinem letzten Stündchen doch noch lernen, daß Kreaturen nicht zum Vergnügen auf der Welt sind. Wir wollen in seinem Rachen ein bißchen Automobil fahren.“

Rumbo hatte in der Tat durchaus nicht begriffen, was los war. Die Einbildung, daß er dazu auserlesen sei, den Teufel als Pille einzunehmen, hatte so fest von ihm Besitz ergriffen, daß ein anderer Gedanke jetzt unter keinen Umständen bei ihm Eingang finden wollte. Er lag also noch immer auf dem Bauche, das Maul weit aufgerissen, die Zunge lechzend lang heraushangend.

Diesen Umstand machte sich der Teufel zunutze.

”Jetzt paß auf,“ sagte er zu Frechdachs, der den Motor nach dreitausendsechshundertundfünfundachtzig Kurbelumdrehungen endlich zum Laufen gebracht hatte (wobei auch sein Schweiß, sowie sein Zungenwerk ins Laufen geriet, denn er triefte und fluchte dabei erklecklich) ”jetzt paß auf: Du sollst gleich das erstemal ein kleines Meisterstückchen im Fahren leisten dürfen. Du siehst diese von zu vegetarischer Kost etwas belegte und infolge von Appetitsphantasmagorien reichliche Feuchtigkeit absondernde Zunge des gewaltigen Hohlkopfes aus dem Rumbonischen Maule gleich einer Zugbrücke auf das Erdreich niederhangen. Diese glitschige, aber sonst keineswegs glatte, vielmehr von unzähligen Furchen durchzogene Brücke müssen wir hinauffahren. Es ist keine kleine Sache, Frechdachs, denn die Steigung ist beträchtlich; und sie wird, weil das Terrain, wie ich schon bemerkte, feucht und uneben ist, doppelt schwer zu nehmen sein. Es wird sich nur mit der kleinsten Geschwindigkeit machen lassen, und du darfst ja nicht vergessen, beide Rücklaufstreben hinunter zu tun, sonst rutschen wir womöglich rückwärts, und das wäre, Gott verdamme mich noch einmal, nicht bloß gefährlich, sondern auch blamabel.“

”Machen wir!“ rief Frechdachs, trat den Gehhebel nieder, und töff — töff, sauste die Explosionskarre los, scharf auf die Zungenspitze Rumbos zu. —

’Ah! Ich soll alle z w e i e haben?‘ dachte sich der und bekam vor unaussprechlicher Wollust butterig glänzende und gleich riesigen Kirschen heraustretende Augen.

Indessen fuhr des Teufels Laufwagen unter angestrengtem Gekeuche des Motors, dem in der Tat ein bißchen s e h r viel zugemutet wurde, die Zunge hinauf, daß der Speichelsaft des Riesen rechts und links nur so wegspritzte. Frechdachs hatte alle Hände und Füße voll zu tun, da er bald einer Furche auszuweichen, bald ein Ausglitschen zu parieren, bald eine andere Geschwindigkeit einzuschalten hatte, aber es ging ganz gut, — bis zu dem Augenblick, wo sie schon ganz nahe am Zäpfchen Rumbos waren, das gleich einem umgekehrten Kirchturm herabhing und den Eingang zum Schlund versperre. Dort aber war der Motor am Ende seiner Kräfte angelangt. Er hustete, rasselte, rumpelte noch, vermochte jedoch den Wagen weder weiter zu ziehen, noch auch nur auf der erreichten Höhe festzuhalten. Kein Zweifel, daß das höllische Automobil sofort zurückgerutscht wäre, wenn sich jetzt nicht die beiden riesigen eisernen Rücklaufstreben mit ihren ankerscharfen Widerhaken tief ins Zungenfleisch des Riesen gebohrt hätten, der seinerseits bisher nur deshalb nicht zugeschnappt hatte, weil er felsenfest glaubte, das Automobil werde von selbst seine Insassen in seinem Magen abladen. Wie er aber die beiden eisernen Haken in seiner Zunge spürte, brüllte er tobend auf: ”Das kratzt ja!“ und schnappte in sinnloser Wut zu.

Darauf hatte der Teufel nur gewartet. In diesem Augenblick suggerierte er den im Bassin befindlichen Neider- und Verleumder-Seelen, sämtliche Parlamente der Welt hätten beschlossen, die Unanständigkeit der üblen Nachrede mit Prügelstrafe zu belegen, und brachte sie dadurch in eine solche Wut, daß sie, einander überrasend, eine Gesamtexplosion aller Niedertrachtsgase erzeugten. Diesem Knalleffekte war auch das Interieur und die knochige Umwandung des Rumbomaules nicht gewachsen: Es platzte. Gleichzeitig fuhren sämtliche schuftige Seelen in den Magen des Riesen und erfüllten ihn so mit Gift und Stank, daß auch er entzweiging. — Rumbo war tot.

Seinem linken Nasenloche entstieg der Teufel, dem rechten Frechdachs. Sie waren über und über voll von Ruß und fanden, daß das ihnen sehr gut stünde.

’Schade, daß das Automobilchen mit hin ist,‘ meinte der Teufel, ’aber ein guter Spaß ist’s doch gewesen. Ich werde mir jetzt eins mit einem Konfessionszankmotor made in Germany konstruieren. Der wird noch rasender gehen. — Fürs erste wollen wir jetzt nur noch schnell die Seele des großen Lümmels fangen. Da bei ihm alles langsam vonstatten gegangen ist, wird sie eine gute Weile zum Entweichen brauchen.‘

Es dauerte auch noch richtig eine Viertelstunde, bis sich aus der Gegend von Rumbos Hinterquartier eine Art gelben Staubdunstes erhob, wie von einem zertretenen Bovist.

Der Teufel fing das Zeug in die hohle Hand, betrachtete es aufmerksam, roch daran und sprach: ”Zu schlecht für meine Domäne.“ Dann blies er es von seiner Hand weg mit den Worten: ”Nichts als Dummheit, Gefräßigkeit und blöder Dünkel, aber guter Kunstdünger für künftige Ernten an Bosheit und Niedertracht. Sie sind mir sicher.“

Der gelbe Dunst flog nach allen vier Windrichtungen auseinander.

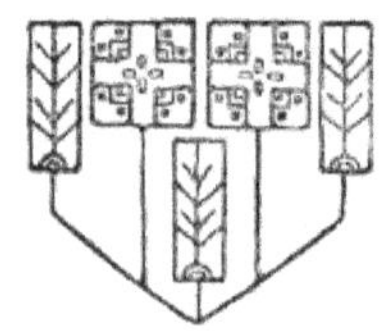

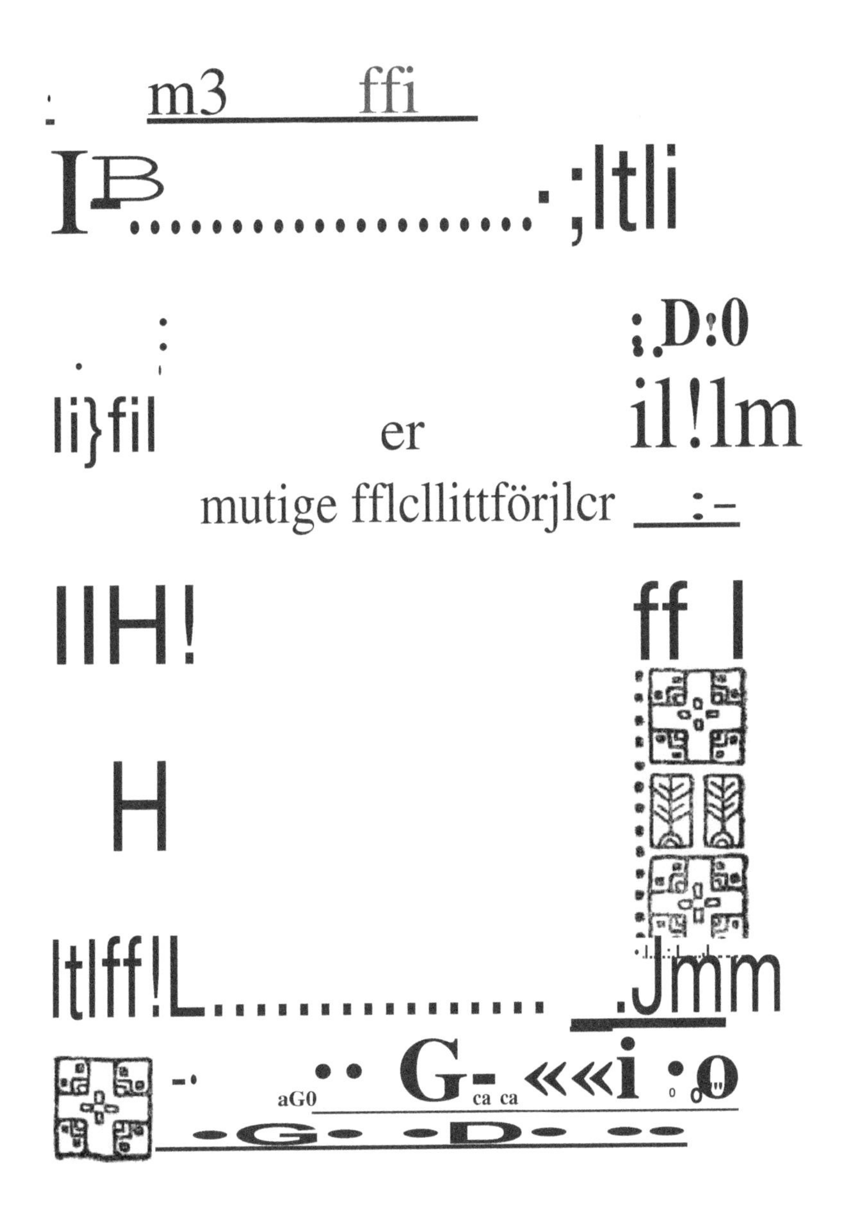

Der mutige Revierförster

König Leberecht, der schon in vorgerückten Jahren befindliche, aber immer noch recht rüstige Beherrscher eines angenehm im Gebiete der mittleren Zone gelegenen Landes, liebte es, die Büchse im Arm, auf hohe Berge zu steigen und dort all das Wild zu erlegen, das man mit viel Mühe und Kunst in die unmittelbare Nähe seines Feuerrohres brachte.

Auf diesen Jagdzügen begleitete ihn, der gerne Menschen um sich hatte, weil er wohl wußte, daß es für Fürsten nicht gut ist, allein zu sein, nicht nur eine Schar bevorzugter Männer des Hof- und Staatsdienstes, sondern auch eine wohlausgewählte Mustergarnitur solcher Leute, die sich durch sachgemäße Überdeckung größerer Leinwandflächen mit Farbe oder durch andere Hantierungen von gewissermaßen künstlerischem Charakter in der Leute Mund gebracht und überdies durch die Annahme des Titels von Professoren bewiesen hatten, daß sie, obwohl keiner ernsthaften Beschäftigung obliegend, doch Sinn für das bürgerlich Reputierliche besaßen. Es war, und dessen war sich ein jeder in des Königs Jagdgefolge wohl bewußt, eine große Ehre, mit Seiner Majestät durch die Felder und die Auen zu streifen, sowie auf schmalen Pfaden die erhabenen Gipfel der Bergwelt zu erklimmen, die wie wenig anderes dazu angetan erscheint, dem Menschen einen Begriff davon zu geben, wie großartig die Welt ist. Indessen, wie die meisten Ehren, so war auch diese mit Anstrengungen und Unbequemlichkeiten verbunden. Schon das Klettern allein erschien den älteren Ministern, vortragenden Räten, Kammerherren und Kunstprofessoren als eine im Grunde nicht ganz erfreuliche Muskelübung.

Denn, abgesehen davon, daß der königliche Bergsteiger schon an und für sich in seiner Eigenschaft als Fürst jenen elastischen und lebhaften Gang hatte, von dem wir immer in den Zeitungen lesen, wenn von einem in Bewegung befindlichen Landesvater die Rede ist, war König Leberecht auch noch besonders auf diesen Sport trainiert, da er Zeit seines Lebens die meisten freien Stunden, die ihm die Regierungsgeschäfte ließen, hauptsächlich dazu verwandt hatte, sich in der ebenso gesunden wie vornehmen Kunst des Kletterns auszubilden. Er wäre, wenn ihm die Schicksalsgöttinnen statt einer Krone einen Gamsbarthut und statt des Zepters einen Bergstock in die Wiege gelegt hätten, zweifellos ein ebenso vortrefflicher Bergführer geworden, wie er nun in Wirklichkeit ein scharmanter König geworden war.

Aber die böse Notwendigkeit, mit den untrainierten Beinen des Untertanen den trainierten Beinen des Souveräns in gleichem Schritt und Tritt zu folgen, war noch nicht einmal die fatalste Begleiterscheinung jener ehrenvollen Jagdpartien. Das Unangenehmste waren die kalten Bäder, die die höchst badelustige Majestät auf luftigster Höhe im schneekühlen Gewässer munterer Gebirgsbäche zu nehmen liebte, und von denen sich keiner ihrer Begleiter ausschließen konnte, da sich der Wasserscheue sonst dem Verdachte ausgesetzt hätte, daß er nicht unter allen Umständen gesonnen sei, seinem höchsten Herrn überallhin zu folgen.

Wie viele ministerielle, geheimrätliche, kammerherrliche, kunstprofessorale Schnupfen die Erfüllung dieser harten Untertanenpflicht im Laufe der Jahre zur Folge hatte, darüber besteht keine Statistik, doch darf ruhig angenommen werden, daß ihrer viele und die meisten davon hartnäckiger Natur waren. Denn nicht jeder verträgt zehn Grad Reaumur im Wasser. Die Loyalität ist willig, aber das Fleisch ist schwach.

Nach einem solchen Bade in der Höhe von 1500 Metern bei entsprechender Wassertemperatur begab es sich nun einmal, daß der König, dem von der genossenen Wasserkühle selber die Finger etwas klamm geworden waren, seine Toilette (mit gebotener Delikatesse zu sprechen) nicht ganz zu Ende führte. Anfangs bemerkte niemand diesen Umstand, da ein jeder nur von dem einen Wunsche beseelt war, die eigene gesunkene Blutwärme durch allseitig luftdichten Verschluß der Kleider wieder in die Höhe zu bringen. Als sich aber später die königliche Jagdgesellschaft auf einem angenehmen Wiesenplane zur Rast niedergelassen hatte, nahm man den kleinen, aber durch seine Örtlichkeit fatal auffälligen Mangel wahr.

Nun ist eine solche Wahrnehmung selbst unter gewöhnlichen Menschen, wenn der eine nicht gerade die Frau des anderen ist, mit einer gewissen Peinlichkeit verbunden. Denn es handelt sich hier, wenn man der Sache auf den Grund geht, um einen Umstand, der geeignet ist, das sittliche Gefühl zu verletzen, um einen *dolus eventualis* auf dem besonders heiklen Gebiete der Erbsünde sozusagen. Indessen, schließlich gibt sich doch immer einer den gewissen Ruck, nimmt den Betreffenden (in den meisten Fällen ist es ein alter Professor oder ein Dichter) beiseite und flüstert (wenn er das Wort "geradezu" im Wappen führt): 'Sie, Ihr Hosentürl ist offen,' oder (wenn er delikater ist) mit einem schnellen orientierenden Blicke: 'Es ist etwas bei Ihnen nicht in Ordnung.' Ja, es gibt sogar Leute, die selbst bei so peinlichen Gelegenheiten zu frivolen Scherzen aufgelegt sind und etwa die Bemerkung machen: 'Sie, verlier'n S' sei' nix!'

Kann man aber so etwas einem Fürsten, einem Könige sagen? Nein: Man kann n i c h t ! Der höfische Stil versagt hier vollkommen. Es gibt durchaus keine Redewendung in der Phraseologie des Umganges mit Majestäten, die es ermöglichte, derlei vor ein allerhöchstes Ohr zu bringen, als über welchem bei feierlichen Anlässen nur durch ein paar Zentimeter getrennt eine Krone zu sitzen kommt. Nicht einmal der mit allen Essenzen höfischer Eleganz und Wortbiegungskunst gewaschene Zeremonienmeister Baron von Belodeur, der doch eine anerkannte Autorität auf dem Gebiete höfischer Linguistik ist, und von dem man hoffte, er werde die schwierige Mission übernehmen und so seinem dichten Lorbeerkranze als königlicher Hausdiplomat ein neues leuchtendes Blatt einverleiben, erklärte, dies überschreite seine Fähigkeiten, dieser Fall sei von einer Heikligkeit, daß man seine Lösung nicht einer Menschenzunge, sondern der Vorsehung selber überlassen müsse, die übrigens, so fügte er mit anmutiger Zuversicht hinzu, noch immer bewiesen habe, daß sie über das königliche Haus mit besonderer Aufmerksamkeit wache. Sohin (er liebte dieses kuriale Wort) werde ihr auch dieser Umstand nicht entgehen, und sie werde zweifellos Mittel und Wege finden, ihn zu beheben, ohne daß sich ein schwacher Mensch den Mund zu verbrennen brauche.

— "Das ist alles sehr schön und sehr gut, und ich bin schon von Ressorts wegen der letzte, der an der Vorsehung zu zweifeln wagt," bemerkte der

Kultusminister, dem es trotz eines kaum überstandenen Schüttelfrostes jetzt sehr heiß zumute wurde, "aber sie müßte ä u ß e r s t schnell eingreifen. Bedenken Sie, lieber Baron, daß uns am Fuße dieses Berges eine Deputation der ländlichen Bevölkerung erwartet, darunter vier weißgekleidete Jungfrauen, von denen die jüngste ein Huldigungsgedicht auswendig gelernt hat. Ich wette meinen Kopf, daß die Jungfrau aus dem Konzept kommt, wenn ihr Blick zufällig auf die derangierte Gegend fällt, und diese infamen Bauernlackel werden dem höchsten Herrn sämtlich, ich sage Ihnen: s ä m t l i c h nicht ins G e s i c h t sehen, sondern — ebendorthin. Mein Gott, mein Gott: Die Situation ist von einer märchenhaften Scheußlichkeit. Wir können uns, so gern wir sonst dazu bereit sind, hier nicht auf höhere Mächte verlassen; wir müssen s e l b e r handeln. Wozu sind Sie denn Zeremonienmeister, wenn Sie sofort versagen, wo es einmal gilt, die durch einen tückischen Zufall bedrohte Würde des Königtums zu retten! *Hic Rhodus! Hic salta!* Walten Sie Ihres Amtes!"

Der Zeremonienmeister, der es bisher immer zu vermeiden gewußt hatte, in Anwesenheit des Königs Schweiß abzusondern, war nicht imstande, die plebejische Feuchtigkeit zurückzudrängen, die ihm angesichts dieser grauenerregenden Perspektive auf die Stirne trat. Er fühlte die ganze furchtbare Verantwortung, die ihm diese entsetzliche Situation aufbürdete. Er sah das Ansehen des Hofes in Gefahr, die Regierung wanken, den Staat konvulsivischen Zuckungen preisgegeben. Vor seinem inneren Auge jagten sich Feuer, Pulverdampf und blutigrote Wogen der Rebellion. Vor allem aber bebte sein ganzes Gemüt und schoß molkig zusammen wie Milch, wenn's wittert, bei dem Gedanken, daß seine Stellung auf dem Spiele stand. Denn in der Tat, dieser Toilettenmangel gehörte in s e i n Ressort, da kein Kammerdiener zugegen war.

Sollte er vielleicht doch?... Sollte er nicht doch vielleicht mit dem Anstand, den er hatte, diskret sich in den Hüften wiegend, an den König heran treten und mit delikatem Augenniederschlag lispeln: 'Majestät haben allerhöchst geruht, zu vergessen, sich die ...'

Aber bei allen Heiligen und Nothelfern, das g e h t ja doch nicht! Niemals noch, so lange es Zeremonienmeister gibt, haben Zeremonienmeisterlippen derartiges zu einem König zu sagen sich erkühnt.

In seiner fassungslosen Verwirrung überfiel ihn die phantastische Idee, zu den Mitteln der Mimik zu greifen und, sich dicht vor Seine Majestät postierend, an sich selbst, gewissermaßen wie an einem Lehrphantom, s c h e i n b a r die Handlung vorzunehmen, die der König an seiner Kleidung tatsächlich unterlassen hatte.

Aber das war ja grotesk, skurril, Wahnsinn! Ebenso hätte er direkt hingehen und, an das respektive Kleidungsstück der allerhöchsten Person Hand anlegend, den Mangel *brevi manu* reparieren können, — eine Vorstellung, bei der er fast in Tränen der Verzweiflung ausgebrochen wäre.

Aber Verzweiflung ist ein zu gelindes Wort, um auszudrücken, in welchem Zustande sich das zeremonienmeisterliche Gemüt befand. Er war der Auflösung nahe. Schon konnte er kaum mehr seine Augen regieren, die immer nur den einen, sich zu einem ungeheuren Schlund und Abgrund klaffend erweiternden Punkt suchten, der die schauderhafte Quelle dieser unsäglich grausamen Prüfung für ihn war. Gewaltsam mußte er seine Blicke von dort wegwenden, um sie ziellos im Kreise herumirren zu lassen. —

Ob denn nicht doch irgendeiner der Anwesenden es wagen würde?

An die Staats- und Hoffunktionäre sich zu wenden, war ganz aussichtslos, das fühlte er mit der Gewißheit des Erfahrenen. Aber vielleicht einer dieser Kunstprofessoren?! Unter ihnen, die ja auch sonst zu seinem Entsetzen oft genug gegen den höfischen Ton verstießen, mußte doch einer zu finden sein, der, wenn man ihm einen Orden oder einen Auftrag oder schließlich den persönlichen Adel versprach, das unerhörte, kaum auszudenkende Wagstück unternahm.

Er zog jeden einzelnen beiseite, bat, flehte, rang die Hände, versprach schließlich den gebührenfreien Freiherrntitel und die Erblichkeit der Professur in der Familie, eingeschlossen die weibliche Nachkommenschaft, — nichts half. Alle erklärten, lieber täglich eine Literflasche Mastixfirnis auf das Wohl des erhabenen Landesherrn leeren zu wollen.

Der Zeremonienmeister hatte das absolut sichere Gefühl, daß der jüngste Tag herangebrochen sei; in seinen Ohren dröhnten deutlich die Posaunen. Da fiel sein Blick auf den Revierförster Meier, der hinter einem Baum saß und mit Mißmut konstatierte, daß sein Enzianschnaps zu Ende war.

Ein letzter Hoffnungsstrahl flackerte, aber nur ganz schwach, im Ingenium des halbtoten Hofmanns auf. Der Meister des höfischen Parketts trat zum Meister des gebirgigen Forstes und entwickelte ihm, indem er sich bemühte, durch leise Dialektfärbung seiner Sprechweise etwas Volkstümliches zu verleihen, den ganzen Komplex der verhängnisvollen Verlegenheit, hinzufügend, daß er, der biedere Mann aus dem Volke, allein befähigt und berufen sei, den Hof, die Regierung, den Staat zu retten, indem er den König auf jenen Punkt aufmerksam machte, auf jenen Punkt ...

"Das Hosentürl? Wenn's weiter nix is?!" meinte Meier.

"Aber Sie dürfen natürlich nicht so geradezu, lieber Meier," flüsterte der Zeremonienmeister, dem doch etwas bange wurde bei dieser schnellen Entschlossenheit des offenbar ganz ungeleckten Bären ... "Sie müssen durch die Blume gewissermaßen ... von hinten herum sozusagen ... abstrakt ..." Er fand durchaus nicht die populären Akzente. Das lag zu weit weg von seinem Ressort.

"Versteh schon! Natürlich! Ich kenn' mich aus. Von der Schleichseite heranpürschen muß ich mich. Nicht gleich mit dem Hosentürl ins Haus fallen. Beileib! Beileib! Fein andrehn muß man so was. So, in d e r Art, daß der König meinen könnt', es wär' einem andern sein Hosentürl!... Schwer is schon. Aber ich hab' schon andere Füchse gefangen."

Nach diesen Worten überzeugte sich der Revierförster nochmals, daß seine Flasche vollkommen leer war, schob sie resigniert in seinen Rucksack und stand mit der Miene eines Mannes auf, der heftig nachdenkt und zu allem entschlossen ist.

Der Zeremonienmeister sah ein, daß dieser Mann, wenn nicht vorher der Himmel einfiel, binnen zwei Minuten das Unglaubliche zum Ereignis machen werde. Ihm ward zumute, als ob plötzlich der feste Boden unter ihm zu wanken begänne; eine grauslich hohe Woge hob ihn, senkte ihn und führte ihn aufs hohe Meer hinaus, einem ungewissen Schicksal entgegen, das irgendwo den Rachen aufsperrte, ihn zu verschlingen. Wie er bemerkte, daß der

Revierförster sich in Bewegung setzte, fühlte er alle Schrecken der Seekrankheit in seinen Eingeweiden. Nur wie durch einen Schleier, einen gelbgrauen Nebel sah und hörte er, was sich nun begab.

Der Revierförster Meier ging gerade auf den König zu, sah ihn aus seinen katzengrauen Augen zutraulich von unten an, nahm seinen bis ins Zeiserlfarbene verschossenen, vor sehr langer Zeit einmal dunkelgrün gewesenen Hut ab und — machte eine Verbeugung. Sodann aber setzte er seinen Hut wieder auf und stand stramm.

Mit dem scharfen Blicke, der ihn stets auszeichnete, bemerkte König Leberecht, daß dieses durchaus reglementswidrige Gebaren seinen Grund in etwas Besonderem haben müsse, und er fragte mit dem huldvollen Tone, der das erste ist, was ein jeder richtige König sich anzueignen keine Mühe und Übung scheut:

"Na, Meier, was gibt's?"

(In diesem Augenblicke gab es dem Zeremonienmeister einen schmerzlichen Ruck, und er sah sich direkt vis-a-vis dem Rachen des Ungeheuers, das ihn verschlingen wollte. Sein Herzschlag setzte aus. Ein überlebensgroßer Knödel kroch in seiner Speiseröhre in einer unangenehm schlickernden Abart des Rollens empor und versetzte ihm auch den Atem. Sein letzter Gedanke war der Orden vom heiligen Kajetan, von dem er schon lange träumte. Dann: Nacht und Vernichtung.)

Meier aber trat einen Schritt vor und sprach mit der markig festen Stimme des deutschen Mannes, der keine Menschenfurcht kennt: "Ich möchte bloß die hohen Herrschaften was fragen."

Alles war starr. Keiner begriff. Auch König Leberecht nicht. Aber sein Ton war doch noch immer huldvollst, als er sagte: "Fragen Sie nur zu, Meier."

Und Meier ließ seine Stimme fröhlich erschallen und sprach: "Wie wär's denn, meine Herrschaften, wenn wir alle miteinander unsere Hosentürln zumachten?"

Eine Reflexbewegung seiner Hände belehrte den König über den Sinn dieser rhetorischen Frage. Er richtete, was zu richten war, und lachte dann so herzlich laut auf, daß seine Umgebung überzeugt sein konnte, es sei durchaus im Sinne der Etikette gehandelt, wenn sie mitlachte. Und da es zugleich ein Lachen der Befreiung war, war es ein brausendes, dröhnendes, herzerfreuendes Lachen.

Selbst die Spechte, die die hohen Stämme der Fichten bepochten, hielten mit Hämmern inne und lachten mit.

Der Zeremonienmeister aber erwachte unter diesem Ensemblesatz des Vergnügens zu neuem Leben und fand sogleich, daß es unschicklich sei, in der allerhöchsten Nähe zu wiehern, wie unerzogene Rösser. Wäre ihm nicht gleichzeitig jener fatale Knödel gottlob zergangen und verschwunden, so daß er wieder frei atmen und sich im Vollbesitze seiner Kontenanz fühlen konnte, hätte er noch einen schlimmeren Vergleich gewählt.

König Leberecht aber sprach, indem er dem Revierförster eine Zigarre anbot (die dieser jetzt noch und mit der ausgesprochenen Absicht, daß sie bis ans Ende der Tage dort bleiben soll, in seinem Glaskasten aufbewahrt): "Meier, Sie sind ein ganzer Kerl. Schade, daß ich Sie nicht in der Regierung verwenden kann. — Ja, meine Herren," und damit wandte er sich zu den übrigen: "das Volk, das Volk!... Es ist eine schöne Sache um das Volk!..."

Dann stieg er, langsamer, als es sonst seine Art war, in tiefes Sinnen versunken, den Berg hinab, an dessen Fuße ihn ein junges Mädchen in weißen, gestärkten Kleidern mit den Worten begrüßte:

Wir jauchzen laut mit Herz und Mund
In dieser gnadenvollen Stund',
Wo uns das Glück geschieht,
Daß seinen König Leberecht
Das biedre Landvolk, treu und echt,
In seiner Nähe sieht.

Es steht sein hochberühmter Thron
Seit mehr als tausend Jahren schon
In unserer Mitte fest.
Drum lieben wir ihn auch so sehr,
Wie wenn er unser Vater wär',
Der keinen je verläßt.

Er weiß, daß in der Landwirtschaft
Beruht des Staates stärkste Kraft,
Drum liebt ihn für und für
Der schwergeprüfte Bauersmann
Und hält als treuer Untertan
Ihm o f f e n j e d e T ü r.

Bei diesen Worten stellte sich bei Seiner Majestät eine Ideenassoziation ein, die ein Lächeln des königlichen Mundes zur Folge hatte, woraus alle anwesenden Gemeindevorstände aufs neue die Überzeugung gewannen, daß der hohe Herr nach wie vor den Interessen des Nährstandes seine besondere Huld zuwendete.

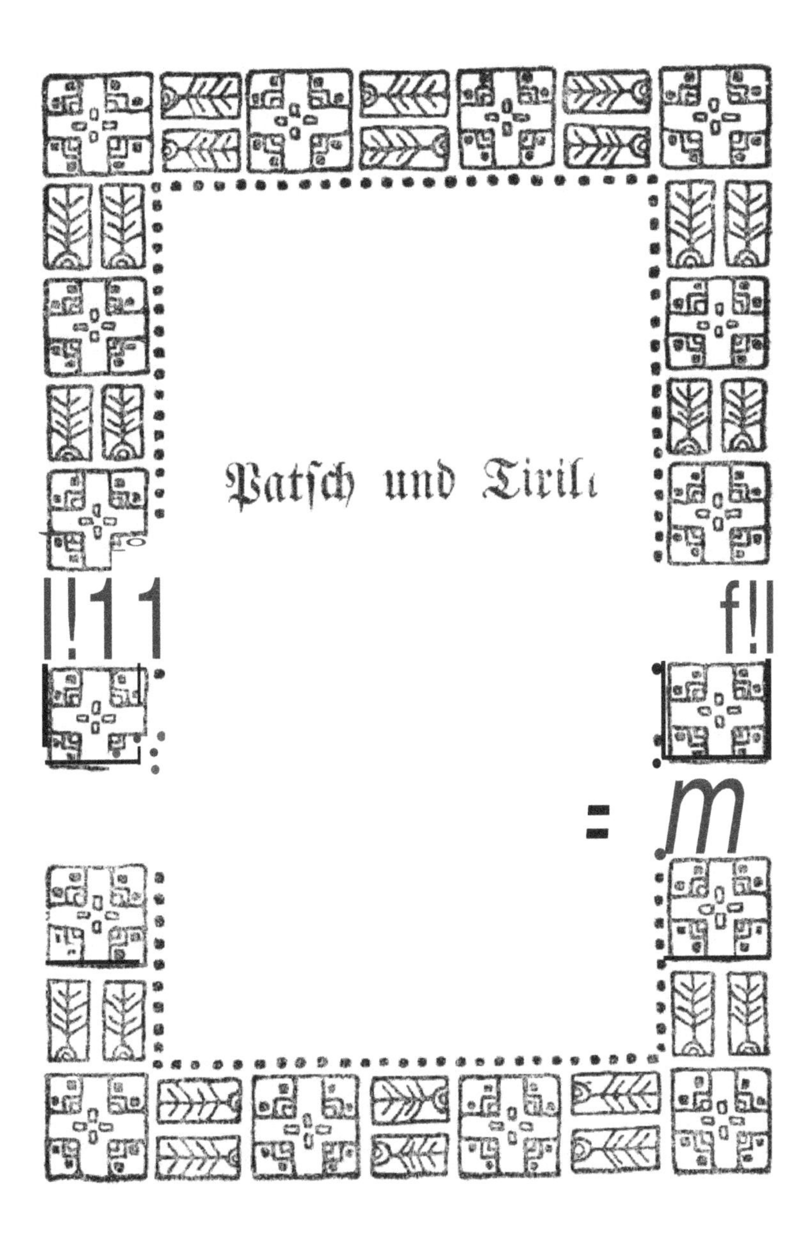
Patsch und Tirili

Patsch und Tirili

Als ich Patsch das erste Mal bestieg, erfüllte mich ein Hochgefühl. Das ist doch Rasse, sagte ich mir; man spürt die adlige Herkunft und sichere Tradition; kein aufdringliches Geräusch, kein saloppes Wackeln; alles sitzt fest, hat die richtige Spannung, aber auch die entsprechende Federkraft; er gehorcht dem leichtesten Druck mit ebensoviel Folgsamkeit wie Intelligenz; was etwa noch fehlt, wird ihm ein bißchen Erziehung sicher beizubringen wissen.

Ich hatte damals freilich nur böse Erfahrungen hinter mir. Das klapprige Ding, dem ich mich als banger Eleve hatte anvertrauen müssen, war durch schlechte Behandlung völlig verdorben und um alle Seele gebracht worden. Man hätte es eine Maschine nennen können, wenn es nicht zuweilen doch noch Spuren von Charakter gezeigt hätte. Freilich von schlechtem. Es war boshaft, heimtückisch, niederträchtig. Im allgemeinen heuchelte es Phlegma — wenn es nicht einfach Faulheit war — und tat so, wie wenn es nichts könnte, als stumpfsinnig seinen Trott gehen, geduldig, sanftmütig, schwerfällig, aber verlässig. Doch plötzlich, während man sich keiner Überraschung versah, fiel es ihm ein, Mätzchen zu machen. Wie von einem bösen Geist besessen, begann es zu rennen, zu rasen und hörte mit diesen infamen Tücken nicht eher auf, als bis es mich gegen eine der Säulen, die recht überflüssiger Weise in der Radfahrschule herumstanden, geworfen hatte. Dann lag es wie ein Bild hilfloser Unschuld neben mir, und nur seine Pedale zitterten vor innerem Triumphgefühl über den glücklich gelungenen Streich.

Dabei will ich gar nicht davon reden, daß es ein wahres Jammerbild und in jeder Hinsicht verkommen war. Ich finde zu seiner Kennzeichnung nur das eine Wort: gemein, und man wird es verstehen, wenn ich bekenne, daß ich dieses Wesen aus voller Seele gehaßt habe. Es war besserer Gefühle ebensowenig würdig wie fähig. Genug von ihm.

Ich sagte schon, daß Patsch mir nach dieser Kreatur, deren Namen ich nicht einmal weiß, einen blendenden Eindruck machte. Da er von guter Herkunft, Cleveland, Mittelsorte, ist, so kann das nicht weiter in Erstaunen versetzen.

Das Jahr 1898 war überdies ein besonders guter Jahrgang für die Clevelands. Aber das will im allgemeinen doch nicht viel sagen. Gewiß, der Durchschnitt dieser Rasse ist immer gut, trefflich, in einem gewissen Sinn tadellos — aber auch nicht mehr. Die Clevelands sind im allgemeinen wie gut gedrillte Soldaten; sie leisten das und das, und zwar nicht wenig, was ihnen eben beigebracht worden ist, immer ungefähr einer wie der andere ohne viel individuelle Einzelzüge — es sind Amerikaner. Selten, daß ein niederträchtiges Subjekt unter ihnen vorkommt, selten aber auch, daß besondere Persönlichkeiten hervorragen. Ich halte das natürlich für einen Vorzug der Rasse, aber immerhin, nicht wahr, wenn einem gerade ein besonders begabtes Individuum zufällt, so ist das nicht unerfreulich.

Nun! Patsch war so ein Individuum. Er war entschieden über den Durchschnitt begabt, und ich würde vielleicht überschwenglicher über ihn urteilen, wenn ich nicht das unerhörte Glück gehabt hätte, nach ihm Tirili zu erwerben.

Ich hätte Patsch nicht aufgegeben, wenn ihm nicht ein Malheur passiert wäre, an dem eine Schwäche von ihm schuld war, die ich längst erkannt hatte: seine Bremse taugte nicht viel. Es war so eine geistlose, platte Druckbremse, an der nichts bewundernswert war, als die Prätension, ein laufendes Rad zum Stehen bringen zu wollen. Also gut! Ich fuhr eines schönen Tages auf ihm am badischen Ufer des Untersees entlang, und zwar war die Situation so: ich kam aus einem Walde heraus, der hochgelegen war, und fuhr eine Weile planeben, wie mir schien; in Wahrheit aber fiel der Weg bereits ein wenig, was ich aber nicht bemerkte, weil ich eben eine Siziliane dichtete, eine Strophe, die italienischer Herkunft ist, weshalb sie immer zwei Reime mehr erfordert, als man im Deutschen leicht findet. Nun können Sie sich denken, daß man nicht zugleich Reime fangen und auf den Weg achtgeben kann, und mir war natürlich der Reim wichtiger, als der Weg — denn es gibt überhaupt nichts Wichtigeres auf der Welt als gute Reime. So kam es denn, daß ich, just als ich meinen Reim gefunden hatte, die Pedale verlor, weil es plötzlich in einem ganz unmöglichen Winkel bergab ging. Ich fühlte deutlich, wie Patsch von einem Todesschrecken durchrieselt wurde, als seine Pedale keine Leitung mehr fühlten und sich in einem wahnsinnigen Tempo wirbelig drehten, und ich selbst hatte auch die deutliche Empfindung, daß ich in wenigen Sekunden irgendwo in der Tiefe fragmentarisch anlangen würde. Also *ultima ratio*: die Bremse. Lächerliche Illusion! Zwar verbreitete sich augenblicks ein penetranter Geruch von heiß gewordenem Kautschuk, aber das Tempo der Abfuhr verminderte sich so gut wie nicht. Dafür kam mir ein Ochsenfuhrwerk gemächlich, aber sicher entgegen, und ich vermochte mir, phantasievoll wie ich nun einmal bin, mit Blitzesschnelle auszumalen, wie in fünf Sekunden Patsch an der Gabeldeichsel, ich aber am Horn eines der Ochsen hängen würde. Mein letzter Gedanke war der eben gefundene Reim: Karbatschen, den ich als Befähigungsnachweis für die Seligkeit mit in die Ewigkeit hinübernehmen wollte, die sich meinen angstvoll aufgerissenen Augen wie ein Tor mit durcheinanderkreisenden Feuerrädern auftat — da machte Patsch einen Riesensatz nach rechts und raste auf einen Steinhaufen los. O du Patsch der Pätsche, o du Wunder von einem Patsch! Das war meine Rettung, aber dein Ruin. Der brave Cleveländer hatte sich, ein leuchtendes Beispiel von Dienertreue, für mich aufgeopfert. Er nahm den Steinhaufen, torkelte noch ein Stück der dahinter liegenden Böschung hinan, dann fiel er erschöpft und ohnmächtig um, und ich lag, die Hände in seine Speichen gekrampft, auf ihm. Wie es sich gebührt, sah ich erst nach, was ihm fehlte. Nun: er hatte seinen Knacks weg. Das eine Pedal war ganz ab, das andere baumelte nur noch; die Lenkstange hatte sich völlig verdreht; die Pneumatiks waren zerschlitzt.

Der arme Kerl tat mir furchtbar leid, obwohl ich vollkommen Ursache hatte, mir selbst leid zu tun, denn auch meine Pedale, sowie die vorstehenden Teile des Gesichtes befanden sich in einem mehr pathologischen als ästhetischen Zustande. So hinkten wir beide nach Hause.

Bei Patschs guter Clevelandkonstruktion versteht es sich von selbst, daß er wiederhergestellt werden konnte. Und er wurde wieder hergestellt. Aber er blieb für mein Gefühl doch ein Krüppel, ein mißliebiger Anblick. So sind wir Menschen. Dankbarkeit und Treue sind bei einem anständigen Subjekt von Rad öfter zu finden, als bei uns. Ich beschloß, ihm zwar das Gnadenöl zu geben, mir aber doch ein neues Rad anzuschaffen.

Ich hätte für diese Herzlosigkeit verdient, ein ganz niederträchtiges Wesen aufgehängt zu bekommen, das sein Geschlecht an mir mit tausend Tücken gerächt hätte, und siehe da — was ist das für eine Weltordnung! — ich bekam, als sollte meine Gemütsroheit auch noch prämiiert werden, das Rad der Räder, das Überrad: Tirili.

Auch Tirili entstammt der Clevelandfamilie, doch gehört sie deren adeligem Zweig an, der Baronlinie der Luxusmodelle. Es wäre Vermessenheit, wollte ich versuchen, ihr Äußeres zu schildern. Sie ist einfach ein Erzengel an Schönheit und dabei hat sie einen Kettenschutz aus Hartgummi und ölt sich selbst.

Ich will Ihnen lieber eins der Begebnisse erzählen, die ich in letzter Zeit mit ihr erlebte; daraus werden Sie am besten ersehen, welch edle Seele ihr innewohnt, welch adlige Eigenschaften sie besitzt, von welcher Fülle aller Reize sie umflossen ist. Der alte, gute, treue Patsch erscheint mir neben ihr ganz einfach als Omnibus — ich kann mir nicht helfen, so frevelhaft undankbar das auch klingen mag.

Gewiß, er überragte den Durchschnitt; er war ein Talent; aber Tirili ist unendlich viel mehr, Tirili ist ein Genie, ein Wunder. Man sollte von ihr nur in Versen reden oder, besser noch, man müßte nur Herrn Stephan George darüber in Versen reden lassen, denn nur das erhabene Lallen ist die kongeniale Ausdrucksweise für Tirili.

Nun lächeln Sie natürlich alle und finden, daß ich überschwänglich bin. Aber Sie werden gleich anders denken, wenn Sie hören, was mir kürzlich mit Tirili passiert ist.

Es war ein schöner Herbstmorgen und die Luft so klar, daß die bayrischen Alpen wie zum Greifen nahe vor mir lagen. Trotzdem gedachte ich nur ins Dachauer Moos hinaufzufahren, wo, wie Sie wissen, die Wiege des malerischen Münchner Naturalismus stand, weshalb einige Pietät und ab und zu eine Radpartie wohl geboten erscheint. Gleichzeitig wollte ich bei dieser Gelegenheit den letzten Akt eines Dramas dichten, das Sie hoffentlich nicht aus Empörung über diese Geschichte auspfeifen werden, wenn es aufgeführt wird. Denn ich dichte immer, wenn ich auf Tirili sitze, es sei denn, daß mir durchaus nichts einfiele. Sie meinen: ich sollte lieber lenken? Da kennen Sie Tirili schlecht. Das gute Mädchen würde es als eine Beleidigung auffassen, wollte ich die Lenkstange auch nur angreifen. Sie liest offenbar Gedanken, denn bis jetzt hat sie mich immer dorthin geführt, wohin ich wollte, oder wohin meine Gedanken sich richteten.

Also gut. Ich tätschelte Tirili freundlich sowohl auf die vordere als auf die hintere Pneumatik, freute mich, wie drall und prall das alles war, und heidi ging es hinaus, die Nymphenburger Allee entlang. Schon am Fenster der hübschen Nähmamsell links kam der Geist über mich, und ich begann ein so heißes Dichten, daß ich weder vorwärts, noch rechts und links, sondern nur immer in mich hineinsah, wo sich der letzte Akt meines Dramas glatt und *con amore* abspielte. Dieses Schauspiel interessierte mich riesig, und ich sah nicht eher aus mir heraus, als bis die Heldin so tot war, wie es nur eine Heldin sein kann, die es nach göttlichem und menschlichem Recht verdient, tot zu sein. Wer beschreibt aber mein Erstaunen, als ich, wie ich mich nun befriedigt umsah, mich nicht etwa in Dachau, sondern auf dem Gipfel eines Berges erblickte, den ich dank meiner Vorbildung auf einem deutschen Gymnasium sofort als die Zugspitze erkannte? Du lieber Gott, sagte ich zu mir, die Zugspitze ist doch 2974 Meter hoch und ganz voll Eis und Schnee, und der Arzt hat mir ausdrücklich verboten, größere Steigungen zu nehmen und mich Erkältungen auszusetzen — da ging es auch schon wieder abwärts, und nur mit Hilfe der wunderbaren Röllchenbremse gelang es mir, einige Wände ohne Unfall hinabzukommen. Aber bei allem Bremsen mußte ich doch in einem ganz unerhörten Tempo begriffen sein, denn nur dies vermag den Umstand zu erklären, den ich Ihnen sofort und ohne viele Worte berichten will.

Ich sause also hinunter und komme plötzlich in eine Klamm, die, rechts und links von senkrecht aufragenden Felsen eingeschlossen, nur oben Raum für einen ganz schmalen, überdies völlig beeisten Weg bot. Ich hatte meine Beine auf die Lenkstange gelegt und hielt die Arme verschränkt, wie ich immer zu tun pflege, wenn ich mir sagen muß: hier kann nur Tirili allein helfen.

Da, denken Sie sich meinen Schreck, sah ich am Ende der Klamm einen dicken Bauern auf mich zukommen, dessen breite Figur den Weg völlig einnahm. Einen Moment kam mir der idiotische Gedanke, zu läuten, aber da war ich auch schon — ja, wie soll ich nun sagen: über den Bauern weg oder durch den Bauern durchgefahren? Ich muß unbedingt an die letztere Möglichkeit glauben, denn ich bin mir durchaus nicht bewußt, daß wir, Tirili und ich, über ihn weggesprungen sind. Andrerseits war freilich an mir und dem Rad nicht das geringste zu sehn, das darauf hätte hindeuten können, daß wir durch einen leibhaftigen Bauern hindurchgefahren waren. Aber, wenn Sie die Schnelligkeit bedenken, mit der dies offenbar geschehen war, so ist dieser Nebenumstand ja nicht weiter verwunderlich. Auf alle Fälle ersuche ich Sie, nicht auf die Idee zu verfallen, ich hätte den Bauern überfahren. Einen so häßlichen Gedanken müßte ich auf das bestimmteste zurückweisen; ich überfahre nie jemand, sei es Bürger, Bauer oder Edelmann.

In weniger Zeit, als Sie gebraucht haben, dieses kleine Abenteuer anzuhören, befand ich mich danach auf der Landstraße zwischen Planegg und München, und zwar der Stadt schon sehr nahe. Tirili verlangsamte ihre Gangart, und wir bummelten in dem Tempo dahin, das ich immer für das beste zum Dichten von Elegien erfunden habe. Ich begann sofort eine in sechsfüßigen Jamben auf das goldene Haar meiner Geliebten. Schon war ich am Ende des Gedichts angelangt, an diesem höchst wirkungsvollen Schluß, wo ich es mir als seligsten Tod wünsche, mich an diesen goldenen Strähnen aufzuhängen — da kommt mir dieselbichte Geliebte höchstselbst entgegen, und zwar auf einem schneeweißen Zelter — ich darf in diesem Zusammenhang dieses poetische Wort anwenden. Sie können sich meinen süßen Schrecken denken! Aber kaum hatte ich sein holdes Rieseln durch das Rückenmark gekostet, da kam ein gallebitterer Schrecken hinterdrein: Hölle und Teufel — ein Galan ritt neben ihr, ein schwarzes, hakennasiges Herrchen in einer grünen Weste auf einem riesigen Fuchs. Meine Eitelkeit zischelte mir zu: welche Figur wirst du neben der Hakennase spielen, die auf einem hohen Gaul sitzt, während du auf einem Rad hockst, und wäre es auch Tirili, die Unvergleichliche. Und ich gedachte, mich rechts in die Büsche zu schlagen. Aber da waren die beiden auch schon da, und ich mitten zwischen ihnen, und ich reichte meiner Königin die Hand.

Wie ist das nur möglich, dachte ich mir, daß ich diese holde Hand im grauen Reithandschuh von Tirilis Sattel aus so leicht erreichen konnte — da merkte ich, daß ich mich mit der Hakennase in gleicher Höhe befand, und das Herrchen sagte etwas von einer famosen Isabelle, auf der ich ritte. Der Mensch sah Tirili für eine falbe Stute an! Das muß von der Farbe der Spelgen Tirilis herkommen; anders kann ich es mir nicht erklären. Aber die Höhe! Die Höhe! Und Tirili kann doch nicht wiehern! Mir war zumute, wie wenn ich der Held in einer Geschichte von E. T. A. Hoffmann wäre, und ich freute mich, als die beiden sich mit den Worten verabschiedeten: "Mit Ihnen kommt man ja doch nicht mit!" Kaum waren diese Worte verklungen, da sah ich, daß ich an meinem Hause angekommen war. Es war genau eine Stunde seit Beginn meiner Ausfahrt vergangen, und man sah Tirili durchaus nicht an, daß wir auf der Zugspitze gewesen waren.

Sind Sie paff? Ich bin es nicht. Ich erlebe täglich solche Sachen mit Tirili. Pegasus mit den Gänseflügeln war ja zu jenen zurückgebliebenen Zeiten ein ganz passables Reitpferd für Dichter, aber wenn Pindar heute nochmals geboren würde — auch er würde einen Cleveländer vorziehen. Meine Tirili kriegt er aber nicht.

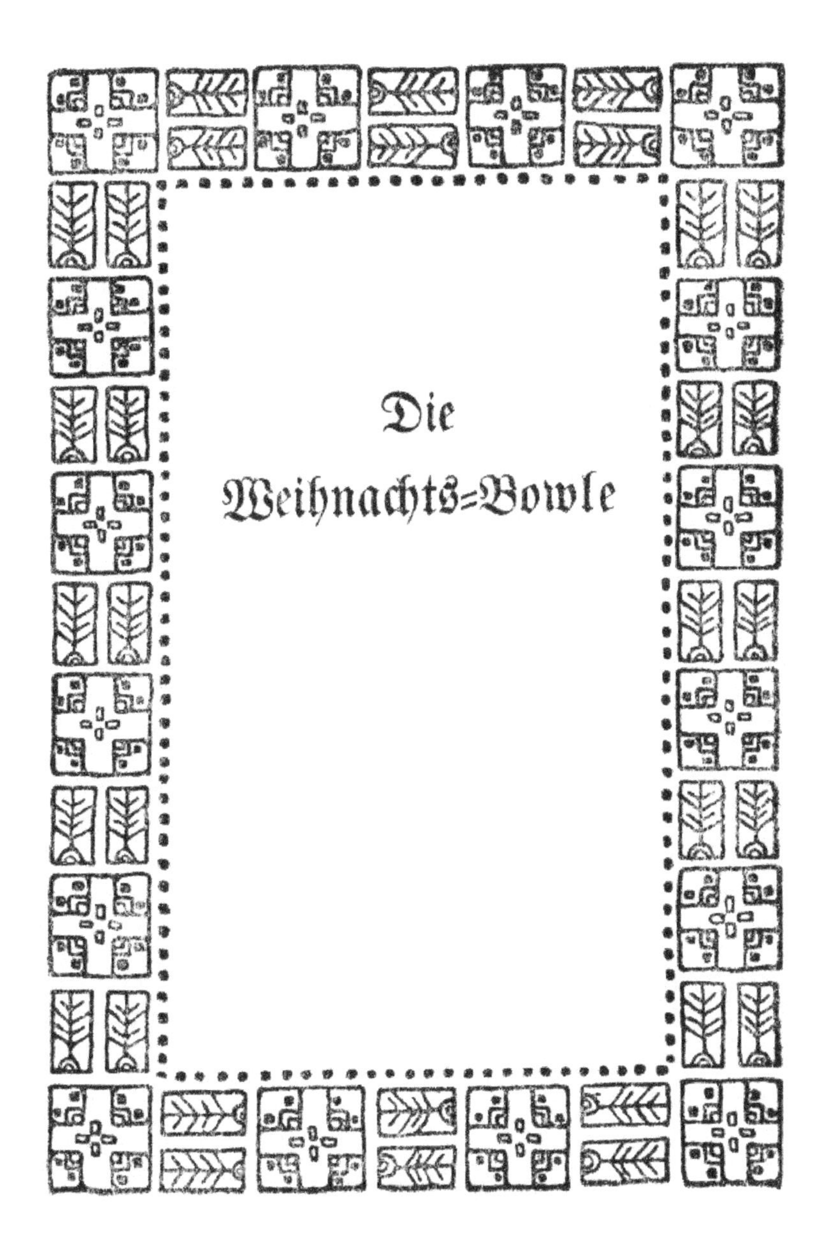

Die Weihnachts-Bowle

Die Weihnachtsbowle

Graf Beisersheim, ein Herr von unbestimmbarem Alter dem Äußeren nach, der aber nur ein paar Sätze zu sprechen brauchte, um allen, die ihm zuhörten, die Überzeugung beizubringen, er müsse wenigstens zweihundert Jahre alt sein, — so angefüllt mit wohlabgelagerter Kenntnis der Welt und der Menschen war seine Rede, — Graf Beisersheim hatte sich in einer Anwandlung von seltsamer, gewissermaßen hautgout-rüchiger Sentimentalität einen Christbaum angeputzt.

Sich und einigen Freunden, die er nun zur "Bescherung" einlud.

Das Haupt- und Mittelstück davon, ja wohl der eigentliche Sinn der ganzen Veranstaltung war eine ostpreußische Bowle von vielen Graden, vor der selbst Willibald Stilpe, der doch (siehe das dritte Kapitel des dritten Buches seiner lehrreichen Lebensbeschreibung) in alkoholischen Dingen eine anerkannte Autorität war, ein Gefühl von Respekt empfunden haben würde. Burgunder, Sekt, Sherry, Porterbier, Rum vereinigten sich, nach den besten Grundsätzen gemischt, in der gewaltigen silbernen Terrine, aus der das erlauchte Geschlecht der Beisersheims schon seit Jahrhunderten seine schwersten Räusche bezog, zu einem neuen Kraftorganismus, der imstande war, einen Vollmatrosen auf Anhieb unter den Tisch zu strecken. Nicht aber auch den Grafen, der ihn ins Leben gerufen hatte und trotz seines knickebeinigen, kontrakten Gestelles, das kaum einem ordentlichen Novemberwind standzuhalten vermochte, im Kampf mit alkoholischen Gewalten so widerstandsfähig war, wie nur irgendeiner seiner in Eisen geschienten Vorfahren auf dem Turnier- oder Schlachtfelde.

Seine Freunde, zumeist Schriftsteller und Künstler oder Angehörige von Kreisen, die aus geschäftlichen oder anderen Interessen engere oder weitere Beziehungen zu Literatur und Kunst pflegten, waren zwar auch trinkfeste Herren, einer so kräftigen Ostpreußin aber doch nicht vollkommen gewachsen.

Es dauerte nicht gar lange, und der redelustige Graf verschwendete seine aufs schärfste geschliffenen, in tausend Facetten von Witz und geistreicher Schnödigkeit blitzenden Bosheiten an eine Korona von Schlummernden. Gleich ihnen, die in den breiten ledernen Klubstühlen mehr lagen als saßen, waren auch die Christbaumkerzen in sich zusammengesunken, und nach und nach löschte eine nach der anderen knisternd aus, als letztes Zeichen einer verglühten Existenz einen dünnen Rauchfaden in das grüne Geäst sendend. Schließlich erhellten nur noch die dicken Wachslichter in den breiten messingenen, mit dem Beisersheimschen Wappen gezierten Wandleuchtern den von Zigarren- und Zigarettenrauch massig durchschwadeten Raum, dessen Luft schon so voll von Alkoholdünsten war, daß man allein davon einen ansehnlichen Rausch hätte bekommen können.

Der Graf, der es in seinen Dramen (denn auch er hatte ein Verhältnis mit der Muse der Dichtkunst, und noch dazu ein ernsthaftes, das nicht ohne Folgen geblieben war) aus prinzipiellen Gründen von unerschütterlicher Festigkeit nie über sich gewonnen hätte, eine seiner Personen in Monologen reden zu lassen, wandte seine künstlerischen Prinzipien im Leben selber insoferne nicht an, als er, gewohnt und geschickt, viel und witzig zu reden, in gewissen Zuständen auch dann sprach, wenn niemand da war, der ihm hätte zuhören und antworten können. In einen solchen Zustand geriet er jetzt, als er langsam Glas auf Glas der schweren ostpreußischen leerte und eine russische Zigarette nach der anderen dazu rauchte.

"Eine sehr stimmungsvolle und durchaus dem Sinne des Festes entsprechende Weihnachtsfeier," bemerkte er, indem er seine kleinen, graugrünen Augen über die Reihe der Schlafenden schweifen ließ. "Nur schlafend können sie das Fest der Liebe feiern, denn, wenn sie wach wären, würden sie reden, und wenn sie redeten, würden sie irgendeine Reputation zerreißen."

In diesem Augenblick tat ein rot und gelb bemalter Nußknacker, der am Baume hing und einem engeren Konkurrenten des Grafen, auch einem dramatischen Schriftsteller (dem er übrigens ähnlich sah), zugedacht war, die hölzernen Kinnladen auseinander und sprach in einem aus erklärlichen Gründen etwas harten Dialekt, wie folgt: "Und du? Warum schläfst dann d u nicht? Du hast es doch besonders nötig?! Jungchen, Jungchen! Du denkst natürlich an meinen neuen Herrn. Aber so boshaft wie du, Menschenskind, ist nicht einmal er."

"Pih, pih," machte da eine kleine Balleteuse, die sich der Graf selber geschenkt hatte und die, ein niedliches Figürchen aus Porzellan und über und über mit Spitzen und Rüschchen bedeckt, unter dem Nußknacker hing, "pih, pih, reißt der das Maul auf! So schreien kann ich freilich nicht, aber das möchte ich denn doch bemerken: Der Unterschied zwischen meinem und deinem Herrn besteht bloß darin, daß meiner mit Geist boshaft ist und deiner bloß mit Grobheit. Denn meiner ist ein Graf und deiner ein Bauer."

Während sie dies mit einer süßen, aber doch etwas spitzigen Porzellanstimme sprach, warf sie recht zierlich bald das eine, bald das andere Bein über sich, daß ihr seidenes Tanzröckchen nur so raschelte und ein jeder sowohl ihre Waden wie ihren Mechanismus bewundern konnte.

Der Nußknacker geriet außer sich, denn er besaß an Stelle von Beinen, mit denen er hätte schlenkern können, nur einen gespaltenen Stumpf, der seinen Kinnladen die Knackekraft verlieh. Dieses Umstandes aber bediente er sich aufs heftigste und schrie: "Mein Herr ist ein Dichter mit Tantiemen, Sie leichtfertige Ratte, Sie! Wenn Sie nur eine Spur von Ehrfurcht in Ihrer flitterhaften Psyche hätten, würden Sie von einem Manne, der selbst von seinen durchgefallenen Stücken leben könnte, während Ihrem Herrn nicht einmal seine erfolgreichen etwas Ordentliches einbringen, mit R e s p e k t reden. Aber natürlich, wer nichts als Grazie besitzt, wie könnte der für ernsthafte Werte Sinn haben?!"

Die Balleteuse wollte sogleich replizieren, aber in diesem Augenblicke erwachte der Herr des Nußknackers für ein paar Sekunden und sprach: "Machen Sie keinen Unsinn, Mann — fünfzehn Prozent, oder ich schließe mit Ihrem Konkurrenten ab!"

Jetzt aber fuhr die Balleteuse los, indem sie vor Erregung Chahüt machte: "Mein Graf hat das Dichten überhaupt nicht nötig. Mein Graf ..."

"I, du verflixte Mamsell!" rief der dazwischen, der sich gar nicht zu wundern schien, daß das Christbaumvolk sich so unwahrscheinlich gebärdete, "willst du wohl aufhören, auf meiner Grafenkrone herumzureiten? Überhaupt sind das recht unpassende Gespräche. Redet doch lieber ein bißchen von der Menschenliebe heute. Dafür ist dieser Tag reserviert."

Kaum, daß er diese Worte gesprochen hatte, erhob sich aus der dunkelsten Partie des Christbaumes ein unendlich zartes und mitleiderregendes Gewinsel, wie von einem ganz, ganz kleinen jungen Hunde, und gleichzeitig kleckerten winzige Wachströpfchen durch die Zweige auf das Tischtuch herab. Der Graf erhob sich, um zu sehen, was denn los sei, und entdeckte, daß das Gewinsel von einem schwarzen Chenillepudel herrührte, der seinem wehvollen Herzen aber nicht nur phonetisch Ausdruck verlieh, sondern auch dadurch, daß er Wachs weinte. Denn seine treuen Hundeaugen waren aus gelben Wachskugeln hergestellt.

Der Graf begriff sofort, daß das eine verhängnisvolle Art zu weinen sei, und er bemerkte daher: "Es ist zwar anerkennenswert und verdient Lob, wenn ein Pudel aus Chenille Gemüt zeigt und es seinem Schöpfer, dem Menschen, nachzutun trachtet, indem er Tränen vergießt; wenn aber dabei das einzige an ihm, das nicht Chenille ist, sich auflöst und kaput geht, so muß doch gesagt werden, daß das eine unökonomische Manier ist, Trauer an den Tag zu legen. Wenn unsere Augen dabei kaput gingen, Freund Pudel, würden wir Menschen gewiß keine Tränen vergießen. Wir leisten uns diese effektvolle Ausscheidung nur, weil sie uns nichts kostet."

Aber der Chenillene hörte nicht auf, Wachs zu weinen; doch zu winseln hörte er auf. Denn er sprach (wie Weinende zu sprechen pflegen, unter häufigem schluchzenden Aufstoßen): "Und wenn meine Augen mir auch ganz davon rinnen und fürderhin in meinem Antlitze nichts Gelbes mehr abstechen soll gegen das glänzende Schwarz meiner Chenille: Ich werde doch nicht aufhören, Tränen zu vergießen über das tragische Geschick, daß ich mich meines Schöpfers nicht als eines v o l l k o m m e n e n Wesens erfreuen soll. Das hat mir, der ich kein wirkliches Knochengerüst besitze, bisher eine Art ideellen Rückgrates gegeben, daß ich des festen Glaubens lebte, meine Götter, diese machtvollen Wesen, die selbst Chenillepudel zu erschaffen vermögen, seien reine, fleckenlose Lichtgestalten, lebend und webend in einem ewigen Glanze von allgütiger Liebe, und nun muß ich es erfahren, daß sie für diese höchste Tugend nur einen Tag unter dreihundertfünfundsechzig reserviert haben, und auch den augenscheinlich nicht immer ganz in diesem Sinne hinbringen. Wenn ich nicht schon aufgehangen wäre, würde ich mich jetzt aufhängen. Denn ein Idealist, der selbst seine Götter als mangelhaft erkannt hat, kann sich begraben lassen.

Bei diesen Worten rann das letzte bißchen Wachs aus seinen Augenhöhlen, und er war so ausschließlich nur noch Chenille, daß Graf Beisersheim mit Recht bemerken durfte: "Jetzt, mein pudelnärrischer Ideologe, bist du nur noch als Tintenwischer zu gebrauchen, und nichts mehr an dir wird deinen Herrn, den vielgebietenden Theaterdirektor, daran gemahnen, daß es Ideale auf der Welt gibt. Schade. Gerade er hätte einen Idealisten in seiner Umgebung so nötig gehabt."

Mit diesen Worten begab er sich zu seinem Stuhl zurück und verschwand wie ein Häufchen Pergament in dem gepolsterten Leder.

Nur seinen Kopf, der in dieser schummerigen Beleuchtung ganz wie ein verwelktes Haupt Blumenkohl aussah, hob er etwas in die Höhe, als jetzt vom Wipfel des Christbaumes eine dünne Blechtrompetenfanfare erklang — so dünn und jämmerlich, daß daneben das Winseln des Pudels vorhin ein walkürisches Hojotohoh hätte genannt werden können.

Es war der ferkelrosig geschminkte Weihnachtsengel, der also musizierte und dabei seine beiden mit Rauschgold überzogenen Papierflüglein erzappeln ließ. Wie er sein trübseliges Blechgeschmetter beendet hatte, sang er mit einer stark belegten und ganz schadhaft gewordenen Phonographenstimme billigster Nummer: "Friede auf Erden! Friede auf Erden! Friede auf Erden!"

Aber nicht einmal der Chenillepudel applaudierte. Es herrschte vielmehr ein höchst beklommenes Schweigen, das erst nach einer Weile der Graf mit der tiefsinnigen Bemerkung unterbrach: "Das kommt davon, wenn ein Engel durchs Zimmer geht oder die Trompete bläst. Wir sind keine Engel mehr gewöhnt."

"Hören Sie mir, bitte, von Engeln auf," ertönte hier in schnellem Einfall eine volle Männerstimme. "Ich bin, glaube ich, neben meiner Frau der einzige Mensch, der wirklich mit einem Engel in fühlbare Berührung gekommen ist, und ich denke, meine Frau ist in diesem Falle einmal meiner Meinung, wenn ich erkläre: Wir haben dabei die fatalsten Erfahrungen gemacht. Gelt, Eva?"

"Na, das will ich meinen," erwiderte eine angenehme Frauenstimme: "eine Roheit war's. Mich hat er alleweil mit seinem Säbel in den Rücken gepufft."

"Aha," sagte der Graf. "Adam und Eva werden auch munter. Ich bin doch gespannt, ob sie im Stile ihres neuen Herrn immer aneinander vorbeireden werden. (Die beiden Buchsbaumfiguren waren nämlich das Geschenk für einen Dichter, dessen Spezialität in einem Dialog bestand, dessen Gegenreden sich nie berührten, sondern einander wie zwei Parallelen erst im Unendlichen trafen — worauf man aber im Verlaufe eines Theaterabends nicht warten kann.)

"Ach, du lieber Gott," antwortete darauf der schöne Adam, "das brauchten wir nicht erst von dem zu lernen. Das ist bei uns vom Anfang an so gewesen. Denn, red' ich hüh, so red't sie hott, und sprech' ich von Kindererziehung, so spricht sie von einem neuen Hut, und bring' ich das Gespräch auf den bewußten Apfel, so biegt sie in das Gebiet des Frauenstudiums ab. Das ist sogar schon vor der Apfelspeise so gewesen. Dazu war nicht einmal der sogenannte Sündenfall nötig. Man sollte meinen, sie wäre aus der Rippe von jemand ganz anderem gemacht. Ich hab' so meine Gedanken darüber."

"Gedanken hat er!" rief die rundliche Eva aus und bewies damit, daß sie doch auch auf Adams Worte einzugehen wußte, wenn's ihr gefiel. "Gedanken! Als ob ein Mann jemals Gedanken hätte! Die Gedankenarbeit fängt überhaupt erst jetzt an, seitdem wir studieren dürfen. Ich schreibe jetzt an einer Geschichte des Paradieses, Herr Graf, und ich will nicht Eva heißen, wenn ich nicht quellenmäßig nachweise, daß dieser Tolpatsch da an dem ganzen Unglück schuld ist. Nämlich, wissen Sie, die Schlange und ich, wir hatten uns die Geschichte so gedacht …"

"O Gott, o Gott, o Gott, jetzt fängt d a s wieder an," rief Adam voller Schrecken. "Ich bitte Sie, Herr Graf, schenken Sie meiner Frau was Hübsches um den Hals, damit sie auf andere Gedanken kommt, sonst kriegen wir ihre ganze Doktordissertation zu hören."

Der Graf, galant wie alle seines illustren Hauses, erhob sich, so schwer es ihm auch wurde, sogleich, brachte das windschiefe Wrack seiner Leiblichkeit nach einigen erfolglosen Bemühungen schließlich wirklich in Bewegung, daß es in einem skurrilen Zickzack zum Christbaum hinüber zu kreuzen vermochte, und legte sein goldenes Armband um den Hals der niedlichen Eva, die von nun an ganz in der Betrachtung des Geschmeides aufging und kein Sterbenswörtchen mehr sprach.

Dafür bemerkte der Graf zu Adam: "Sie müssen ein guter Kunde für die Goldschmiede sein, Herr von Adam!?"

"Ach Gott, ja," erwiderte der, "die Hauptsache aber sind doch Goldschmiede w o r t e . Sehen Sie: die Frauen, wir wollen es uns nur gestehen, sind doch das Beste, was wir auf dieser Erde haben, seitdem man es für richtig befunden hat, uns aus dem Paradiese auszuweisen — wo es übrigens, nebenbei bemerkt, lange nicht so amüsant war, wie sich das die Theologen vorstellen. Die Frauen, fürs Eskamotieren von Natur aus begabt, haben auch aus dem Paradiese das Wertvollste eskamotiert: so einen gewissen Abglanz, oder wie soll ich nur sagen: eine Art Versprechen und Zuversicht des Vollkommenen, Ursprünglichen, Kindlichen. Wir legen ihnen davon vielleicht etwas mehr unter, als sie wirklich haben — aber etwas davon ist doch in ihnen. Jedenfalls reizen sie uns immer, es in ihnen zu suchen und es durch die Verbindung mit ihnen zu gewinnen. Aus diesem Reize kommt und in dieser Verbindung ist aber die Liebe. Und dafür, Herr Graf, nicht wahr, für diesen ewigen, aller Wunder vollen Schatz müssen wir ihnen wohl viel nachsehen, was uns, weil wir ja so anders sind, als sie, manchmal an ihnen geniert, und dafür müssen wir ihnen mit dem danken, was ihnen das Wertvollste an uns dünkt: mit immer bereiter, nie ermüdender Zärtlichkeit, Aufmerksamkeit, Gütigkeit. Es ist fast, als ob ihnen der äußere Ausdruck, das Zeigen der Liebe wertvoller erschiene, als deren Vorhandensein selbst. Zu wissen, daß der Mann sie liebt, genügt der Frau nicht, sie will die Liebe fortwährend, und auch im Kleinsten, immer und immer wieder dokumentiert sehen. Wir können ja vielleicht finden, daß das etwas äußerlich ist, und wir sind manchmal geneigt, uns sehr großartig vorzukommen, weil wir es uns im Grunde am Bewußtsein der Liebe genügen lassen, aber eigentlich ist es doch sehr gut, daß die Frauen so — äußerlich sind. Denn schließlich ist aus dieser weiblichen Art ein gut Teil unserer Gesittung entstanden."

Der Graf, der, wie die meisten Leute, die mehr Geist als ihre Umgebung haben, auf artiges Zuhören nicht trainiert war, bemerkte: "Was muß ich denn I h n e n schenken, damit ich um I h r e Dissertation herumkomme?"

"Man sieht," erwiderte Adam, "daß Sie ein Junggeselle sind, denn sonst würden Sie sich mehr für diese goldenen Grundregeln der andauernden Liebe interessieren. Überdies komme ich aber jetzt auf einen Punkt, der zu dem Feste, das Sie auf so absonderliche Art feiern, eine sehr nahe Beziehung hat. — Haben Sie sich schon einmal überlegt, warum der Tag vor dem Christfeste Adam und Eva heißt?"

"Ich weiß nicht einmal, daß das so ist," antwortete der Graf etwas schläfrig.

Adam aber erwiderte: "Und doch ist das ein sehr glücklicher Einfall der Kirche, wenn wir ihm auch besser eine andere Auslegung geben, als es nach ihrem Wunsche sein mag. Sie, die überhaupt nicht gut auf uns zu sprechen ist, weil wir uns nicht haben kirchlich trauen lassen und bloß ziviliter verheiratet sind, meinte, mir und meiner Frau mit dieser Postierung vor das Christfest eins auszuwischen. Sie hat diese nämlich in dem Sinne vorgenommen: direkt vor die Erlösung das zu rücken, wovon, nach ihrer Meinung, die Menschheit zu erlösen war: die Erbsünde. Sie werden es mir nachfühlen, wenn ich diesem Gedankengange, der mich und meine Eva zu Schwerverbrechern stempelt, wo wir doch bloß taten, was ihr uns alle so gerne nachmacht, nicht gerne folge und es vorziehe, die Sache anders auszulegen. Nämlich so: Ich meine, es ist damit ganz einfach die irdische und die himmlische Liebe kalendarisch benachbart worden als ein Sinnbild dafür, daß der Mensch die eine so nötig hat wie die andere. Denn selbst Sie, Herr Graf, der Sie doch eigentlich nicht mehr ganz komplett sind, kommen ohne ein bißchen Erbsünde nicht aus, ganz zu geschweigen von Ihren Kameraden da, die in diesem Punkte allen Ansprüchen vollkommen genügen. Ich gönne es Ihnen und ihnen, freue mich darüber und möchte nur wünschen, daß sie (und Sie!) auch sonst mehr nach mir geraten wären. Denn, abgesehen davon, wie Sie (und sie!) aussehen, — d a s möchte ich Ihnen bei dieser Gelegenheit doch bemerken: I c h habe n i e m a l s Theaterstücke geschrieben und nie Leute ausgerichtet!"

"Weil du kein Talent dazu hast und keine Leute da waren," warf Eva schnippisch ein.

"Was?!" rief Adam aus, "ich kein Talent? Ich, der ich täglich zwölf Gedichte auf dich gemacht habe, damals, als ich noch nicht wußte, wie du dich auswachsen würdest? Und "keine Leute?" Ist der liebe Gott etwa nichts? Hätte ich nicht den lieben Gott ausrichten können und dich und die Schlange? Ich sage dir, mein Kind, diese Herrschaften hier würden, wenn jeder von ihnen allein auf der Welt lebte, ihren Stiefelknecht verleumden, ihrer Zahnbürste ein schmutziges Verhältnis mit ihrer Seifenschale andichten und ihrem Sacktuche unehrenhafte Handlungen nachsagen."

Der Graf, weit entfernt davon, Widerspruch zu erheben, bemerkte seelenruhig: "Sie sind von Ihrem Thema abgekommen, Herr von Adam."

"Richtig", antwortete der, "und das tut mir leid, denn ich wollte von g u t e n Dingen reden; und d a s wars, was ich sagen wollte: Ihr solltet am heutigen Tage recht fleißig auch an Adam und Eva denken, und der Gedanke wäre, obwohl die Beiden, Gott sei Dank, keine Heilige waren, so wenig sündig wie der Gedanke an Raffael oder Mozart oder Goethe oder sonst einen der Herrlichen, die die Erde mit ihrem Leben und Schaffen geschmückt haben. Denn der Gedanke an uns leitet auch in diesem Sinne hinüber zu dem Gedanken an den, dessen Tag dem unseren folgt, — nicht wie der Tag der Nacht, sondern wie ein Feiertag dem anderen Feiertag."

Der Graf war schon lange eingeschlafen, als Adam sein letztes Wort sprach. Auch die Kerzen in den Wandleuchtern verlöschten. Die Dichter und ihre Verleger und Theaterdirektoren schnarchten in einer Harmonie, die sonst selten zwischen ihnen bestand.

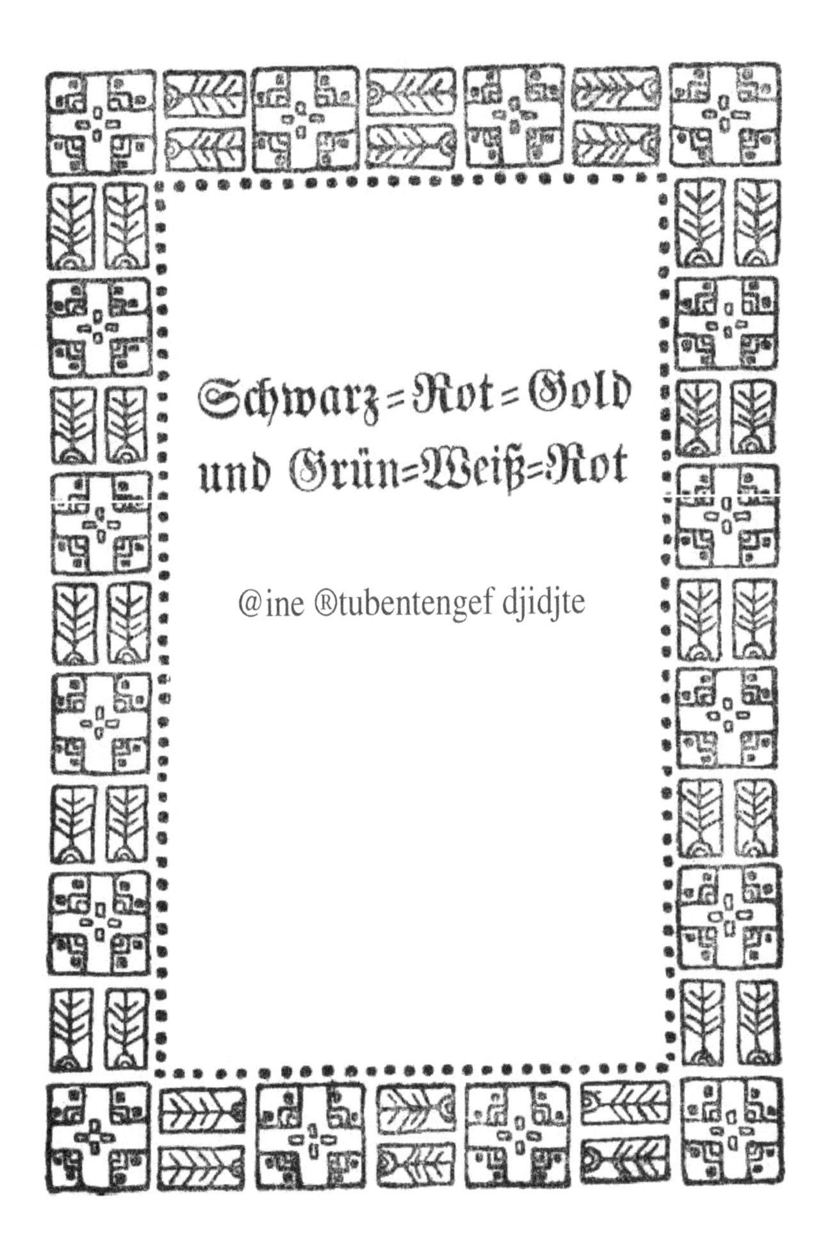

Schwarz=Rot=Gold und Grün=Weiß=Rot

@ine ®tubentengef djidjte

Schwarz-Rot-Gold und Grün-Weiß-Rot
Eine Studentengeschichte

Franz Zoller und Karl Jost waren Freunde von Kind an.

Selten sind solche Freundschaften. Denn es war bei ihnen viel mehr als Gewohnheit. Sie hatten sich wirklich von Wesensgrund aus gern. Schon die Zuckertüte des ersten Schulgangs teilten sie miteinander.

"Ich habe lauter Schokolade, Franz," sagte Karl, "und ich lauter Zuckerzeug," entgegnete der, und sogleich schütteten sie Zucker und Schokolade zusammen und zählten ab und teilten.

In der Bürgerschule sowohl wie im Gymnasium machten sie Klasse für Klasse miteinander durch, hielten sich auch durchweg auf derselben Bank, ja zumeist nachbarlich zusammen, gewissenhaft auch darin abwechselnd, daß bald der eine, bald der andere den höheren Platz einnahm, denn, wie sie einander in der Begabung die Wage hielten, so auch im Fleiße.

Im Charakter ähnelten sie sich gleichfalls.

Es waren beide gute, muntere, aufrichtige Jungen, harmonisch angelegte Naturen von einer glücklichen Mischung der Gemütsgaben: Nicht überbegehrlich nach irgendeiner Richtung hin, aber auch in keinem Betracht stumpf und den jeweiligen Genußmöglichkeiten des Lebens abgewandt. Nicht etwa geradezu Musterknaben, aber durchaus wohlgeratene Burschen. Niemals Spielverderber, auch dann nicht, wenn es sich um verbotene Spiele handelte, aber immer maßsicher dabei. Und dies nicht etwa aus Berechnung oder frühreifer Lebensklugheit, sondern ganz von Gnaden eines unbeirrbaren Instinkts für die gute Mitte, die überhaupt das wesentliche an ihnen war.

Kein Wunder, daß ihre Eltern rechte Freude an ihnen hatten.

Franz war der Sohn des ersten Arztes der Stadt, Karls Vater war ein pensionierter Offizier, der sich aus Liebhaberei mit kriegsgeschichtlichen Studien beschäftigte. Beide Familien waren wohlhabend, nicht reich, und jede hatte außer dem einen Sohn noch eine jüngere Tochter.

"Unser Quartett," sagten die Alten, wenn sie die vier beieinander sahen — und die beiden Mütter dachten sich wohl noch etwas Extras dazu.

Eigentlich waren die Eltern erst durch die Kinder einander nahe gekommen, obwohl sie Haus an Haus draußen in der kleinen Villenvorstadt des Städtchens wohnten. Denn im Grunde stand mancherlei einer Freundschaft zwischen dem Doktor Zoller und dem Rittmeister a. D. Jost entgegen.

Vornehmlich der Unterschied in der politischen Meinung.

Der Doktor war ein alter Achtundvierziger, was er noch immer durch einen Heckerbart mit dazu gehörigem breiten Schlapphut auch äußerlich an den Tag legte; der ehemalige Rittmeister aber pflegte sich "konservativ bis in die Knochen" zu nennen.

Diesen politischen Standpunkten entsprachen die Universitätserinnerungen der beiden Herren.

Über dem Schreibtisch des Doktors hing ein schwarz-rot-goldenes Band, über dem des Rittmeisters, der erst nach einer ziemlich fröhlichen Studentenzeit ins Heer getreten war, ein grünweiß-rotes, das Zeichen seiner Angehörigkeit zu einem Korps der benachbarten Universitätsstadt. Und sonderbar: Die politische Meinungsverschiedenheit gab nicht so oft Anlaß zu Mißhelligkeiten, wie der Unterschied in ihren Sympathien für die verschiedenen Universitätsverbindungsrichtungen.

"Sie sind und bleiben ein verbohrter Büxier, Doktor; mit Ihnen ist überhaupt nicht zu reden; Sie sind durch die Buxenschaft heillos verdorben!" pflegte der Rittmeister immer auszurufen, wenn sie über irgend etwas miteinander ins Gestreite gekommen waren. Und: "Korpserziehung, das ist's, was Ihnen fehlt; stramme Zucht und das Gefühl für die notwendigen Schranken. Aber natürlich: Eine Verbindung, die ein politischer Debattierklub ist — daraus wird immer bloß Jakobinertum".

Der Doktor aber ließ sich solche Belehrungen nicht willig eingehen, sondern riß an seinem wilden Bart und replizierte kräftig genug: "Daß ich nicht lache! Korpserziehung! Ah bäh kann am Ende jeder Idiot auch sagen und Stege an den Hosen (er dachte an seine Zeit) sind schließlich auch nicht die Gipfel der Kultur. Erziehung zur Freiheit, Mannhaftigkeit, Überzeugungstreue, Vaterlandsliebe, das ist mehr wert, als den jungen Leuten beizubringen, daß ein glatter Scheitel und glatte Redensarten bei den Vorgesetzten beliebt machen. Der Korpsier ist die Karikatur des deutschen Studenten, von dem w i r sangen: Frei ist der Bursch!" —

Nach solchen Diskursen schieden die beiden mit roten Köpfen voneinander und pflegten zu ihren Eheliebsten zu bemerken: "Schade um den guten Zoller (oder Jost); er ist im Grunde ein prächtiger Mensch, aber sein ewiges Buxentum (oder seine ewige Korpssimpelei) ist ganz und gar unausstehlich. Das eine aber weiß ich: Unser Junge wird Burschenschafter (oder Korpsstudent)!"

Die beiden Jungen aber, wenn ihre Alten ihnen auch, als sie sich der Prima des Gymnasiums näherten, oft genug ihre schwarz-rot-goldenen oder grün-weiß-roten Ideale predigten, hatten und zeigten wenig Sinn dafür.

" I c h springe mal n i c h t ein, Karl," erklärte Franz, und Karl pflichtete bei:

"Sollte mir gerade einfallen, mich als Korpsfuchs schurigeln zu lassen."

Diese Abneigung gegen das studentische Couleurwesen kam einesteils daher, daß beide einander viel zu gern hatten, als daß sie es hätten wünschen können, auf der Universität die feindlichen Brüder zu spielen, dann aber war sie auch eine Folge gewisser anderer Neigungen, denen sich die beiden Gymnasiasten schon von Obersekunda an mit gleicher Stärke hingaben.

Sie waren durch einen Kameraden, dem sie neidlos höhere Begabung zuerkannten und durch dessen Belesenheit in moderner Literatur sie sich gerne imponieren ließen, auf die Beschäftigung mit der zeitgenössischen Dichtung hingeführt und so in einen Anschauungskreis gebracht worden, in dem kein Raum für die üblichen Burschenideale war. Nicht, als ob sie sich von gewissen, zwar verbotenen, aber darum erst recht ausgelassen lustigen

Zusammenkünften der übrigen ferngehalten hätten, in denen verschiedene Prärogative des Studententums feuchtfröhlich vorweggenommen wurden, aber sie bildeten dabei mit noch einigen eine Art stilleren Extrawinkels für sich, und schließlich tat sich dieser zu einem "literarischen Kränzchen" zusammen, in dem man die damals gerade einsetzende moderne literarische Bewegung aufmerksam verfolgte und nicht weniger laut über Naturalismus und Idealismus debattierte, als es in den damals florierenden Literaturkampfblättern geschah. Wenn sich Franz und Karl dabei, auch hierin einmütig wie sonst, für M. G. Conrad, Liliencron, Conradi erhitzten und in einem gewaltigen Abscheu vor Paul Heyse erglühten, so konnten sie unmöglich noch Elan genug für Korps oder Burschenschaft aufbringen.

Im übrigen lagen sie nach wie vor ihren von der Schule gebotenen Studien fleißig ob und begannen auch nach und nach der Frage ihres zukünftigen Universitätsstudiums näherzutreten.

Dabei stellten sich aber schon Schwierigkeiten mit den beiderseitigen Eltern ein. Der alte Rittmeister wünschte seinen Sohn einmal als Juristen in Amt und Würden zu sehen, der Doktor konnte sich den seinen nur wieder als Mediziner denken, aber die beiden Literaturverehrer fanden, daß nur ein irgendwie literarisches Studium imstande sein werde, sie ganz auszufüllen.

Franz gedachte sich für romanistische, Karl sich für germanistische Philologie zu entscheiden.

"Dummes Zeug," erklärten die beiden Väter, die sich hier einmal in vollster Harmonie der Meinungen trafen und auch oft gemeinschaftlich miteinander zu Rate gingen, was wohl am besten zu tun sei, um die beiden Jungen, die sich jetzt zum erstenmal schwierig zeigten, auf den rechten Weg zu leiten.

Das war zur Zeit, als die beiden in Unterprima saßen und der Wohltat der ersten Tanzstunde teilhaft wurden.

Um diese Zeit begab es sich, daß Franz die Bemerkung machte, er sei in Karls Schwester Anna verliebt, und Karl gegenüber Klara, der Schwester Franzens, derselben Gefühle inne wurde.

Zuerst gestanden sie es einander und erteilten einander sogleich auch den brüderlichen Segen.

Sodann ging ein jeder zu seiner Schwester, des Freundes Brautwerber zu machen.

Und es ergab sich alles (woran auch keiner gezweifelt hatte) nach Wunsch. Das Quartett der heimlichen Liebe war fertig und stimmte aufs beste.

Die Alten taten, als merkten sie nichts, freuten sich aber im stillen herzhaft über die heimliche Hausmusik, von der sie ja ganz sicher sein konnten, daß sie nichts Unziemliches üben und produzieren würde.

Die beiden Mütter, bisher in den Meinungsverschiedenheiten zwischen Vater und Sohn zuwartend neutral geblieben, aber im Innern durchaus der Überzeugung sicher, daß das klügere Alter ganz gewiß nicht bloß das Rechte wollte, sondern auch erkannte, fanden es nun an der Zeit, ihrerseits sanft leitend einzugreifen, und zwar eben im Hinblick auf das gute Zusammenspiel des Quartetts. Denn sie sagten sich mit mütterlicher Psychologie: Jetzt, wo die Jungen ein Geheimnis mit sich herumzutragen glauben, von dem sie nicht wissen, welchen Eindruck es hervorbringen wird, wenn sie es einmal enthüllen müssen, jetzt werden sie fügsamer sein als je.

Und sie irrten sich nicht.

Wie die Jungen merkten, daß von ihrem Nachgeben bei der Wahl des zukünftigen Studiums es abhinge, ob die gestrengen Alten in der Wahl der zukünftigen Braut Nachgiebigkeit an den Tag legen würden, waren sie bald entschlossen, die romanistische und germanistische Philologie zu opfern und in die sauren Äpfel der Juristerei und Medizin zu beißen, wenn ihnen dafür die süßen Äpfel aus dem Liebesgarten in greifbare Nähe gerückt würden.

Das war freilich nicht sehr überzeugungstreu gehandelt und eigentlich Felonie gegen das literarische Kränzchen, aber wenn man neunzehn Jahre alt ist und im Feuer der ersten Liebe steht, darf man für solche Abtrünnigkeit wohl mildernde Umstände zugebilligt erhalten.

"Weißt du, Franz," erklärte Karl, als er, etwas zaghaft, seinen Treubruch bekannt hatte, "ich mußte doch auch an deine Schwester denken, und daß ich als Jurist viel bessere materielle Aussichten habe. Jedenfalls können wir viel früher heiraten."

Karl fand diese Überlegung durchaus weise und wurde durch sie der Notwendigkeit überhoben, auch seinerseits Entschuldigungen vorzubringen. Dafür bemerkte er, daß man ja auch als Arzt und Jurist der schönen Literatur alle möglichen Opfer an Hingabe und Förderung bringen könne.

Nur vor ihrem literarischen Mentor, jenem Kameraden, der ihnen den Geschmack an Literatur beigebracht hatte, hatten sie ein bißchen Angst. Der aber zeigte sich, wie immer, auf der Höhe der Situation, indem er äußerte: "Ihr konntet keinen vernünftigeren Entschluß fassen: Wenn jeder, der sich für Literatur interessiert, Literat werden wollte, würde die Literatur schließlich bloß noch Interessenten und kein Publikum haben. Mir persönlich habt ihr überdies einen Stein vom Herzen genommen durch eure Entschließung, denn ich habe mir schon manchmal Gedanken darüber gemacht, ob ihr auch begabt genug dazu wäret, euch aktiv in Literatur zu betätigen."

Die guten Jungen fühlten sich durch dieses Verdikt sehr beruhigt und begannen nun, wie es ihrer gesunden, resolut aufs Reelle gerichteten Art entsprach, sich rechtschaffen mit ihrem ganzen Wesen auf ihren zukünftigen Beruf einzustellen, indem sich ein jeder dessen schöne Seiten und Möglichkeiten bewußt werden ließ.

Die Mütter triumphierten, und die Väter waren zufrieden.

Nun, so dachte ein jeder von ihnen für sich, werd' ich den Bengel schon auch noch für meine alten Studentenideale einfangen.

Indessen, da wollte sich der gewünschte Erfolg durchaus nicht einstellen. Allen noch so begeisterten Schilderungen, noch so nachdrücklichen Zureden setzten die Jungen halsstarrig das eine entgegen: Es gehe und gehe nicht, — schon wegen ihrer Freundschaft. Sie seien nun einmal ein Herz und eine Seele und wollten in allen Lagen des Lebens immer und ausnahmslos bleiben, was sie von jeher waren: Engverbundene Kameraden.

Vergeblich deklamierte der Doktor: Ehre! Freiheit! Vaterland! Vergeblich wies der Rittmeister darauf hin, daß nur der zur Elite der Studentenschaft gehöre, der Mitglied eines Korps sei. Vergeblich betonten beide, daß es zu ihren innigsten Herzenswünschen gehöre, den Sohn mit demselben Band geschmückt zu sehen, das sie einst selber getragen hatten.

Es nützte alles nicht; die beiden Oberprimaner, deren Abgang von der Schule schon in ein paar Monaten eintreten mußte, blieben standhaft bei ihrem *non possumus.*

Die Lage schien verzweifelt.

Da erschien wiederum der mütterliche Sukkurs auf dem Plan. Aber diesmal mußte er sich einer komplizierteren Taktik bedienen, und die beiden Hilfstruppen mußten gemeinsam vorgehen.

Sie pflogen Kriegsrat mit einander und einigten sich über die folgende Gefechtsidee: Diesmal müssen wir die Mädels bange machen. Wenn ihr, müssen wir sagen, euren Bruder dahin bringt oder wenigstens den Anschein erweckt, als ob ihr ihn dahin gebracht hättet, nach Vaters Willen zu handeln, so wird der, seid sicher, zum Dank dafür euren Herzenswünschen so gewiß geneigt sein, wie er jetzt darin ungewiß ist. — Nun werden die Mädels freilich sagen: Der Bruder denkt ja gar nicht daran, auf uns zu hören.

Dann müßte man eben das junge Volk ein bißchen auf eine andere Möglichkeit stoßen.

Wofür sind wir die Alten, Erfahrenen? Es geht ja um einen guten Zweck, und so dürfen wir wohl andeuten, daß, wenn auch der Bruder am Ende nicht hören würde, der Freund des Bruders um so gewisser alle beide Ohren aufmachen wird. Geschieht das nun aber auf beiden Seiten, so ist genau das selbe erreicht, wie wenn ihr den Bruder überredet hättet, d. h. der Vater ist zufriedengestellt.

Die mütterliche Doppelintrige, von den Töchtern sofort aufs gelehrigste erfaßt und so geschickt ins Werk gesetzt, wie man es von jungen verliebten Mädchen nur voraussetzen kann, führte noch kurz vor Torschluß, nämlich in der Muluswoche der beiden Freunde, zum gewünschten Ziele.

Natürlich handelten Franz und Karl im Einverständnis miteinander.

"Nun müssen wir also auch noch Komödie spielen wegen der Mädel," so faßte Franz die Sachlage in Worte. "Du mußt dich als Korpsier, ich mich als Burschenschafter verkleiden, und wir müssen drei Semester lang so tun, als verachteten wir einander grimmig. Es ist zum Totlachen! Wir werden uns wie ein heimliches Liebespaar nur verstohlen treffen können und auf der Straße aneinander vorüberschreiten, als kennten wir einander gar nicht. Bloß in den Ferien wird Gottesfriede herrschen. Was wollen wir aber dann auch miteinander vergnügt sein, Karl! Wie wollen wir dann lachen über die Mummerei!" —

"Ja, das wollen wir," war Karls Antwort, "aber, weißt du, die Sache hat doch auch eine ernste und gerade darum erfreuliche Seite: Es ist die erste Prüfung, die unsere Freundschaft zu bestehen hat. Ich zweifle natürlich so wenig wie du daran, daß sie sie bestehen wird; das versteht sich ganz von selber; aber immerhin, eine Probe aufs Exempel bleibt's, und das ist gut."

In dieser Stimmung traten sie ein jeder in die Verbindung ein, der sein Vater früher angehört hatte. —

Sie hätten keine jungen deutschen Studenten sein müssen, wenn nicht das mancherlei Schöne, Frische, Lustige auf sie gewirkt hätte, das dem einen das Korps, dem andern die Burschenschaft bot. Franz war ein ebenso forscher Arminenfuchs wie Karl, in *S. C.*-Redeweise gesprochen, eine brauchbare Korpsrenonce. Und wie jeder seine drei Mensuren hinter sich hatte, wurde der eine wie der andere ein tadelloser Bursch, der es nach dem besonderen Sinne seiner Verbindung an nichts fehlen ließ. Denn die beiden zeigten sich auch hierin von dem guten Schlage, der allewege ordentlich treibt, was er einmal übernommen hat.

Trotzdem gehörten sie mit ihrem innersten eigentlichen Wesen ihren Verbindungen doch nicht an. Wie hätte Karl so ganz Korpsstudent sein können, um z. B. auf jeden Burschenschafter wie auf einen minderwertigen akademischen Bürger herabzublicken?

Und wie hätte Franz es vermocht, so ganz Burschenschafter zu sein, daß er im Korpsstudenten schlechthin nichts gesehen hätte, als eine Art studentischen Gecken von beschränktem Geist, aber unbeschränktem Hochmut?

Nein, es blieb im Grunde doch eine Verkleidung, wenn sie sie beide auch nach außen hin glänzend durchführten, und wenn auch schließlich gewisse Eigenheiten des Korps- oder Burschenschaftsangehörigen an ihnen haften blieben.

Ganz von selbst verstand es sich, daß sie alle Zeit, die ihnen das Korps oder die Burschenschaft zur freien Verfügung ließ, miteinander verbrachten — in der Tat verstohlen wie ein heimliches Liebespaar.

Mütze, Band und Bierzipfel wurden abgelegt, ein Hut aufgesetzt, der Rockkragen aufgeschlagen und, womöglich im Schutze der Dunkelheit, zum Freunde geeilt.

Anfangs teilten sie einander noch ihre speziellen Verbindungserfahrungen mit, erheiterten sie sich gegenseitig durch die Wiedergabe jener Charakterisierungen, wie sie der Korpsstudent dem Burschenschafter, der Burschenschafter dem Korpsstudenten angedeihen läßt, aber schließlich, als sie nun doch ihren Verbindungen endgültig angehörten, ließen sie das als unschicklich und eine Art Hinterlist sein und begnügten sich damit, von Dingen zu reden und zu schwärmen, die ihnen beiden ganz gemeinsam waren, vor allem von ihren Mädchen.

Denn aus der Primanerpoussasche war bei einem jeden eine rechte, feste Studentenliebe geworden, von der der eine wie der andere herzlich gewiß war, daß sie eine Liebe fürs Leben bleiben werde.

Auch unterlag es gar keinem Zweifel mehr, daß die beiderseitigen Eltern einer späteren Verbindung der Liebespaare ihre Einwilligung geben würden.

Eine Verlobung hatte, als zu früh einerseits, anderseits aber auch als fürs erste überflüssig, nicht stattgefunden. Es bestand aber ein stillschweigendes Einverständnis aller Beteiligten, wovon sich auch die Väter nicht ausschlossen.

Der Rittmeister fand, daß der Burschenschafter Franz sich ganz wie ein richtiger Korpsstudent ausnähme, und der Doktor erklärte, daß der Korpsbursch Karl in seinem ganzen Gehaben einen so frischen, ungekünstelten, heiteren Eindruck machte, daß man ihn ebensogut für einen forschen Burschenschafter hätte nehmen können. Und so war, wie innerlich bei den Söhnen, so äußerlich bei den Vätern das schwarz-rot-gold dem grün-weiß-rot so nahe wie nur möglich gekommen, und die Alten trafen sich recht oft in dem Gedanken, wie närrisch es doch eigentlich von ihnen gewesen sei, jenen Unterschieden eine wesentliche Bedeutung beizulegen: "Zwei Strömungen im deutschen Studentenleben, jede in ihrer Art gleich bewußt und sicher, wenn auch unterschiedlich in belanglosen Einzelheiten, demselben Ziele zustrebend, aus den jungen Leuten in einer heiteren, formvollen Freiheit tüchtige Männer fürs Leben zu bilden. Wirkliche Gegensätze bestehen eigentlich gar nicht zwischen ihnen. Und so kreuzen sie sich ja auch schon längst nicht mehr.“

Just an demselben Abend und genau zur selben Stunde, als die beiden Alten, die am nächsten Tag ihre Söhne zum Ferienbesuch erwarteten, in diesem Sinne beim Wein miteinander redeten und die Gläser aneinander klingen ließen mit einem: Prost das Korps! Prost die Burschenschaft! begab sich in einer Bierwirtschaft der benachbarten Universitätsstadt, die von Couleurstudenten nur nach Schluß des Couleursemesters besucht werden durfte, folgendes.

In dem überfüllten, vollgequalmten Raum, in dem eine Biermusik einen greulichen Lärm verübte, saß nahe der Tür eine Schar angetrunkener Studenten, die das instrumentale Getöse der Kapelle mit nicht minder turbulenter Vokalmusik begleiteten. Da öffnete sich die Tür, und ein Schwarm anderer Studenten trat herein, nicht weniger betrunken als die, an deren Tische sie vorbei mußten.

Der erste von den Eintretenden, dessen Augenglas von der Hitze des geschlossenen Raumes angelaufen war, stieß im Vorbeiwanken an den zunächst stehenden Stuhl und schob sich ohne Entschuldigung weiter.

Da wandte sich der, der mit dem Stuhle auch einen Stoß erhalten hatte, halb um und rief, nach Art eines stark Angetrunkenen etwas lallend: "Kann der Prolet nicht Pardon sagen?“

Kaum, daß diese Worte gefallen waren, fühlte er auch schon die Hand des also Apostrophierten, der sich mit einem Ruck umgewandt hatte, auf seiner Wange.

Seine Kameraden sprangen auf, er stürzte sich auf den, der ihn geschlagen hatte, aber dessen Begleiter warfen ihn zurück.

Eine Weile Tumult, erhobene Arme, Geschrei, Kreischen der Kellnerinnen, — dann wurden die eben Angekommenen auf die Straße geschoben, gefolgt von einem vom Tische des Geohrfeigten, der dessen Karte dem, der den Schlag geführt hatte, übergab und dafür dessen Karte erhielt.

"Na, Karlemann, da hättest du dir ja noch vor Torschluß die obligate Pistolenkiste bestellt," rief einer von dessen Begleitern, während dieser die empfangene Karte vor die noch immer undurchsichtigen Klemmergläser hielt.

"Spar dir die Lektüre zum Frühstück, Jostchen! Wie der Mann heißt, dem ein Loch in die Hose geschossen werden soll oder muß, ist ohnehin gänzlich irrelevant," bemerkte ein anderer.

Karl Jost steckte die Karte in die Westentasche. Die Gesellschaft entfernte sich unter Gelächter und dem Gesange: 'Kauf dir, mein Freund, ein Pistolet!'

Als Karl am nächsten Morgen erwachte, gab sein wirrer Kopf zunächst keine weitere Erinnerung her, als ein wüstes Durcheinander von unzusammenhängenden Einzelheiten und ein Gefühl, daß irgend etwas Dummes, ihm im höchsten Grade Fatales passiert sei.

Karl Jost hatte sich bisher, so gut es eben möglich gewesen war, auch vor dem Zuviel im Trinken gehütet, und so genierte ihn schon der Gedanke, besinnungslos betrunken gewesen zu sein. 'Franz wird mir eine nette Pauke halten,' dachte er sich, 'wenn ich's ihm berichte. Aber schließlich: Der erste Tag der Inaktivität!'

Denn es war der Abschied von den Korpsbrüdern gewesen, den man, allerdings nicht ganz auf solenne Manier, gefeiert hatte, da Karl, mit Schluß des Semesters inaktiv geworden, im nächsten Semester eine andere Universität besuchen wollte.

Franz, der im gleichen Falle war, würde wohl auch entsprechend gesündigt haben, tröstete er sich. Es war ja bisher fast immer so gewesen, wenn einer dem anderen was zu beichten gehabt hatte, daß der Beichtabnehmer an die Absolution selber auch eine Beichte fügen mußte.

Karl stand auf und begrüßte, wie immer, zuerst das Bild seiner Braut, das drüben auf dem Schreibtische stand. Da fiel ihm ein weißes Kärtchen in die Augen, das vor der Photographie lag, und sofort trat das Geschehene in lebhafter Erinnerung vor ihm hin.

Das war ja die Karte des Menschen, den er geohrfeigt hatte!

Was für dumme Geschichten! Wie unwürdig und widerwärtig!

Und dazu die Konsequenzen, wenn der Geschlagene "honorig" dachte, was ja durch die Auswechselung der Karten wahrscheinlich erschien....

Karl wurde ernst bei diesem Gedanken.

Er hatte durchaus nichts vom Raufbold in seiner Natur und hatte nie anders als auf Bestimmung mit Angehörigen der anderen Korps gefochten. Der Gedanke an einen ernsthaften schweren Ehrenhandel war ihm, der jede Herausforderung sowohl wie jeden Anlaß, herausgefordert zu werden, immer vermieden hatte, schon an sich zuwider, aber nun gar die sichere Aussicht auf eine Pistolenmensur mit einem ihm ganz gleichgültigen Menschen, von dem er nicht einmal wußte, wie er aussah, und gegen den er sich tätlich vergangen hatte, ohne zu wissen, was er tat....

Karl hätte nicht der gesund empfindende und verständig denkende Mensch sein müssen, der er war, wenn ihm das ruchlos Widersinnige einer solchen Notwendigkeit nicht schwer auf die Seele gefallen und als eine absurde Scheußlichkeit erschienen wäre. Trotzdem suchte er auch nicht eine Sekunde der Überzeugung auszuweichen, daß, wie nun einmal der Ehrenkodex in allen Fällen tätlicher Beleidigung bestimmte, nur ein Austrag mit der Pistole erfolgen konnte. Er wußte, daß der *C.*, für den Fall, daß jener andere einer solchen Austragung würde ausweichen wollen, ihn sogar moralisch dazu zu zwingen versuchen würde. An eine Möglichkeit für ihn, Karl, die Sache auf vernünftige Weise durch eine Erklärung des Bedauerns aus der Welt zu schaffen, war gar nicht zu denken, nach dem unumstößlichen Satze aus der Logik der Ehre: Eine Realavantage kann (und muß) man zwar immer bedauern, aber niemals zurücknehmen. Und auch der Umstand der beiderseitigen Betrunkenheit konnte nicht ”ziehen“, weil durch die Auswechselung der Karten ja dokumentiert worden war, daß beide die Tragweite des Geschehenen erkannt hatten.

Auch jetzt, wie Karl alles dies mit ernstem Bedauern bedachte, galt sein nächster Gedanke dem Freund: ’Was wird Franz zu dieser heillosen Geschichte sagen! Und wenn es tausendmal gegen den Komment verstößt: Das kann ich nicht vor ihm geheimhalten!‘

Er trat an den Schreibtisch und ergriff die Visitenkarte. Aber im selben Augenblicke ließ er sie auch schon wieder fallen und griff sich mit beiden Händen nach der Stirn. Auf der Karte stand: Franz Zoller, *stud. med.* ...

”Aber um Gottes willen!“ rief er laut aus, ”das ist ja doch ...“ und tastete nochmals nach der Karte.

Dann fiel er auf einen Stuhl hin und starrte ins Leere.

Es war ihm unmöglich, einen Gedanken zu fassen. Er fühlte nur immer wieder das eine: Wahnsinn! Wahnsinn! Wahnsinn!

Da klopfte es an die Türe. Er öffnete: Im dunklen Flur stand Franz. Aber im nächsten Augenblicke war er auch schon im Zimmer und lag dem Freunde an der Brust.

Zum ersten Male geschah, was nie geschehen war bisher, sie küßten sich. Dabei rollten Karl die großen Tränen über die Backen.

Franz aber lachte munter und sprach: ”Aber Karl! Tränen? Von wegen ein paar Pistolen?“

Karl riß die Augen auf und rief: ”Ja denkst du denn, wir sollen uns wirklich ....?“

”Aber natürlich, Karl! Wir werden uns doch nicht exkludieren lassen und am letzten Tage unserer großen Komödie aus der Rolle fallen?“

”Ich begreife dich nicht. Die Sache ist, weiß Gott, zu ernst, um Witze zu machen.“

”Die Witze macht das Schicksal, nicht ich. Das Schicksal will, daß wir unsere Komödie mit einem Knalleffekt schließen. Also: Knallen wir!“

"Franz, ich bitte dich!"

"Du scheinst mir einen netten Kater zu haben, mein Lieber, daß du absolut nicht kapierst. Bitte, wozu ist die Natur da, wenn man nicht ein paar Löcher hineinschießen kann? — Na, siehst du wohl? — Wirklich, es ist das Einfachste und Schmerzloseste. Fordere ich dich nicht, werde ich exkludiert. Nimmst du nicht an, wirst du exkludiert. Sentimentalitäten — gilt nicht. Aber Komödie spielen, das gilt. Wer A sagt, muß B sagen. Sollen wir diese drei Semester so brav bei der Stange geblieben sein, um genau im letzten Augenblicke durchzugehen? Unsinn! Wir sind nicht die ersten, die mit ernsten Mienen die Atmosphäre durchlöchert haben. Die Pistole ist das harmloseste Instrument von der Welt, wenn man einen vernünftigen Gebrauch von ihr macht. Ich werde drei Meter hoch über deine werte Schädeldecke weg ins himmlische Blau zielen, und du wirst die Blümlein auf der Au mit dem todbringenden Blei lädieren. Vorher aber bitte ich dich um eine Liebe."

"Was denn?"

"Bitte, sage zu mir: Du alter, ekliger Prolet du!"

"Jetzt bist aber wirklich verrückt, mein Junge."

"Ach so, du weißt wahrscheinlich gar nicht, daß ich dich einen Proleten genannt habe?"

"Mein Gott, das hast du? Gottvoll!"

"Allerdings, das habe ich, und dafür muß ich gezüchtigt werden. Also, los!"

"Na, ja! Du alter, ekliger Prolet du!"

"So, und jetzt gestatte, daß ich meinerseits, damit wir quitt werden, dir eine kleine niedliche Ohrfeige verabreiche. Weißt du, nur, um mir nicht sagen lassen zu müssen, daß mich ein Korpsstudent ungestraft gemaulschellt hat."

"Aber natürlich, bitte, bediene dich!"

Und Franz gab dem Freund einen leisen Patsch auf die Wange. Dann lachten beide recht herzlich und verabschiedeten sich, weil jeden Augenblick Franzens Korpsbrüder in der wichtigen Mission bei ihm erscheinen mußten, die ihnen nun der Komment auferlegte.

Schon am nächsten Morgen trafen sich die beiden Parteien in einem Gehölze nahe der Stadt.

Die Forderung war auf einmaligen Kugelwechsel bei ziemlich weiter Entfernung gestellt und angenommen worden, und die Sekundanten suchten die Entfernung durch phantastisch große Schritte beim Abmessen noch zu vergrößern.

(”Diese ganze Knallaktion geht ja nur vor sich, damit das Kind einen Namen hat,“ meinte Franzens Sekundant, um zu kennzeichnen, daß die Sache nicht gerade um Tod und Leben ging.)

Immerhin merkte man allen Beteiligten eine gewisse Aufregung an.

(”Kurios,“ meinte Karls Sekundant, ”was so ein paar glatte Pistolenläufe für eine Suggestion ausüben. So eine Pistolenchose macht sich doch immer recht dekorativ.“)

Als die Gegner einander gegenübertraten und sich nach der Sitte mit einer Neigung des Kopfes begrüßten, hätte ein genauer Beobachter bemerken können, was für ein seltsames Leuchten in ihren Augen war.

Dieses Leuchten sprach einen ganzen Satz aus: ”Du alter lieber Kerl drüben, gelt, du fühlst wie ich, daß wir diese Komödie nicht um ihrer selbst und aus einer frivolen Lust spielen, sondern, weil es uns nun einmal von einem wunderlichen Schicksal bestimmt ist, einen Mummenschanz zu treiben, damit ein paar gute alte Leute ihr Vergnügen haben. Dies aber, gottlob! ist die letzte Szene der Komödie.“

Das Kommando fiel. Wie aus e i n e r Pistole geschossen krachten gleichzeitig zwei Schüsse.

Da, … heiliger Himmel, … was ist das?…

Karl sinkt in die Kniee, greift sich mit beiden Händen an den Leib und: "Karl! Karl!" schreit Franz und stürzt hinüber, dicht neben ihn hin, verzweifelten Antlitzes totenbleich dem Freunde in die Augen sehend, die mit einem fürchterlichen Ausdrucke von Schmerz hin und her irren und sich plötzlich verschleiern.

"Karl! Karl! Ich .... um Gottes willen .... was ist denn?.... Doktor, Doktor!"

Karl, hinten vom Doktor gestützt, läßt den Kopf sinken.

"Tot? Tot?" Franz schreit, brüllt, ächzt es. Sein Sekundant, in einem blöden Nichtbegreifen, will ihm zureden, ihn wegziehen.

Er stößt mit beiden Fäusten nach ihm und starrt nur immer in das entseelte Auge des Freundes.

Wie aus einer unendlichen Ferne hört er, in einem seltsam höhnischen Tonfall, so scheint es ihm, die Worte des Arztes: "Scheußlich! Die Kugel muß von einem Stein abgeprallt sein; sie ist von unten, offenbar ganz deformiert, in den Leib gedrungen; eine greuliche Fetzwunde. Hier ist alles vorbei."

Franz sinkt bewußtlos neben dem Freunde hin.

Die Burschenschaften und die Korps geleiteten zwei Tage später in einem Zug vereint die Leichen der beiden Freunde zu Grabe.

Franz hatte sich noch am Abend des Duelltags erschossen.

Die beiden Alten nahmen ihre Verbindungsbänder von der Wand weg. Auch in ihren Herzen waren fortan nicht mehr die Farben schwarz-rot-gold und grün-weiß-rot. Aber sie schlossen sich noch enger aneinander, denn einem jeden von ihnen war zumute, als könne er keinen Weg mehr ohne Stütze gehen.

Und die armen Frauen....

Die Geschichte ist zu Ende.

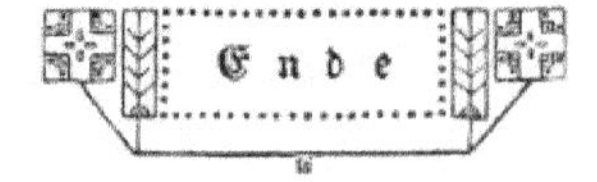